MAIGRET
ET
L'INDICATEUR

OUVRAGES DE GEORGES SIMENON

AUX PRESSES DE LA CITÉ

COLLECTION MAIGRET

Mon ami Maigret
Maigret chez le coroner
Maigret et la vieille dame
L'amie de Mme Maigret
Maigret et les petits cochons sans queue
Un Noël de Maigret
Maigret au « Picratt's »
Maigret en meublé
Maigret, Lognon et les gangsters
Le revolver de Maigret
Maigret et l'homme du banc
Maigret a peur
Maigret se trompe
Maigret à l'école
Maigret et la jeune morte
Maigret chez le ministre
Maigret et le corps sans tête
Maigret tend un piège
Un échec de Maigret
Maigret s'amuse
Maigret à New York
La pipe de Maigret et Maigret se fâche
Maigret et l'inspecteur Malgracieux
Maigret et son mort
Les vacances de Maigret
Les Mémoires de Maigret
Maigret et la Grande Perche
La première enquête de Maigret
Maigret voyage
Les scrupules de Maigret
Maigret et les témoins récalcitrants
Maigret aux Assises
Une confidence de Maigret
Maigret et les vieillards
Maigret et le voleur paresseux
Maigret et les braves gens
Maigret et le client du samedi
Maigret et le clochard
La colère de Maigret
Maigret et le fantôme
Maigret se défend
La patience de Maigret
Maigret et l'affaire Nahour
Le voleur de Maigret
Maigret à Vichy
Maigret hésite
L'ami d'enfance de Maigret
Maigret et le tueur
Maigret et le marchand de vin
La folle de Maigret
Maigret et l'homme tout seul
Maigret et l'indicateur
Maigret et Monsieur Charles
Les enquêtes du commissaire Maigret (2 volumes)

ROMANS

Je me souviens
Trois chambres à Manhattan
Au bout du rouleau
Lettre à mon juge
Pedigree
La neige était sale
Le fond de la bouteille
Le destin des Malou
Les fantômes du chapelier
La jument perdue
Les quatre jours du pauvre homme
Un nouveau dans la ville
L'enterrement de Monsieur Bouvet
Les volets verts
Tante Jeanne
Le temps d'Anaïs
Une vie comme neuve
Marie qui louche
La mort de Belle
La fenêtre des Rouet
Le petit homme d'Arkhangelsk
La fuite de Monsieur Monde
Le passager clandestin
Les frères Rio
Antoine et Julie
L'escalier de fer
Feux rouges
Crime impuni
L'horloger d'Everton
Le grand Bob
Les témoins
La boule noire
Les complices
En cas de malheur
Le fils
Le nègre
Strip-tease
Le président
Dimanche
La vieille
Le passage de la ligne
Le veuf
L'ours en peluche
Betty
Le train
La porte
Les autres
Les anneaux de Bicêtre
La rue aux trois poussins
La chambre bleue
L'homme au petit chien
Le petit saint
Le train de Venise
Le confessionnal
La mort d'Auguste
Le chat
Le déménagement
La main
La prison
Il y a encore des noisetiers
Novembre
Quand j'étais vieux
Le riche homme
La disparition d'Odile
La cage de verre
Les innocents

MÉMOIRES

Lettre à ma mère
Un homme comme un autre
Des traces de pas
Les petits hommes
Vent du nord vent du sud
Un banc au soleil
De la cave au grenier
A l'abri de notre arbre

Georges SIMENON

MAIGRET ET L'INDICATEUR

PRESSES DE LA CITÉ
PARIS

ISBN 2-258-00383-0

CHAPITRE

1

QUAND LE TELEPHONE sonna et que Maigret manifesta son déplaisir par un grognement, il n'avait pas la moindre idée de l'heure qu'il pouvait être. Il ne pensa pas à regarder le réveille-matin. Il sortait d'un sommeil lourd et ressentait encore un poids sur la poitrine.

Pieds nus, d'une démarche de somnambule, il se dirigea vers l'appareil.

— Allô...

Il ne se rendait pas compte que ce n'était pas lui mais sa femme qui avait allumé une des lampes de chevet.

— C'est vous, patron?

Il ne reconnaissait pas tout de suite la voix.

— Ici, Lucas... Je suis de service de nuit... Je viens d'avoir un appel du XVIIIe arrondissement...

— Et alors?

— On a retrouvé le corps d'un homme assassiné sur le trottoir de l'avenue Junot...

C'était tout en haut de la Butte, non loin de la place du Tertre.

— Si je vous appelle, c'est à cause de l'identité du mort... Il s'agit de Maurice Marcia, le propriétaire de la Sardine...

Un restaurant bien parisien, rue Fontaine.

— Que faisait-il avenue Junot?

— Il ne paraît pas avoir été tué sur place. Au premier coup d'œil, on a l'impression qu'il a plutôt été déposé là alors qu'il était déjà mort...

— J'y vais...

— Voulez-vous que je vous envoie une voiture?

— Oui...

Mme Maigret, toujours dans son lit, n'avait pas cessé de le regarder mais maintenant elle se levait et cherchait ses pantoufles du bout des pieds.

— Je vais te préparer une tasse de café...

Cela tombait un mauvais soir, ou plutôt un trop bon soir. C'était le tour des Maigret de recevoir les Pardon. Il existait entre eux un accord tacite, consolidé par les années.

Une fois par mois, le docteur Pardon et sa femme recevaient les Maigret à dîner dans leur appartement du boulevard Voltaire. Deux semaines plus tard, c'était leur tour de venir dîner boulevard Richard-Lenoir.

Les femmes en profitaient pour mettre les petits plats dans les grands, pour échanger des recettes tandis que les hommes bavardaient paresseusement en buvant de la prunelle d'Alsace ou de la framboise.

Le dîner avait été particulièrement réussi.

Mme Maigret avait préparé des pintadeaux en croûte et le commissaire était allé chercher à la cave une des dernières bouteilles d'un vieux Châteauneuf-du-Pape dont il avait acheté une caisse aux enchères un jour qu'il passait rue Drouot.

Le vin était exceptionnel et les deux hommes n'en avaient pas laissé une goutte. Combien de petits verres de prunelle avaient-ils bus ensuite? Toujours est-il qu'à deux heures du matin, réveillé en sursaut, Maigret ne se sentait pas dans son assiette.

Il connaissait bien Maurice Marcia. Tout Paris le connaissait. Il était arrivé à Maigret, alors qu'il n'était qu'inspecteur, de questionner dans son bureau celui qui n'était pas encore à l'époque un personnage respectable.

Plus tard, avec Mme Maigret, il était allé parfois dîner rue Fontaine où la cuisine était de premier ordre.

Elle lui apporta sa tasse de café alors qu'il était presque habillé.

— C'est important?

— Cela risque de faire du bruit.

— Quelqu'un de connu?

— M. Maurice, comme tout le monde l'appelle. Autrement dit Maurice Marcia.

— De la Sardine?

Il fit oui de la tête.

— On l'a assassiné?

— Il paraît... Il vaut mieux que j'aille jeter un coup d'œil...

Il but son café à petites gorgées, bourra une pipe. Puis il alla entrouvrir la fenêtre pour voir quel temps il faisait. La pluie tombait toujours, si fine, si lente, qu'elle était invisible sauf dans le halo des réverbères.

— Tu prends ton imperméable?

— Ce n'est pas la peine... Il fait trop chaud...

On n'était qu'en mai, un mois de mai qui avait été merveilleux. Un orage était venu brouiller le temps et il en restait cette sorte de bruine qui durait depuis vingt-quatre heures.

— A tout à l'heure...

— Tu sais, tes pintadeaux étaient extraordinaires...

— Pas trop lourds?...

A cette question-là, il préféra ne pas répondre, car il les avait encore sur l'estomac.

Une petite voiture noire l'attendait devant la porte.

— Avenue Junot...

— Quel numéro?

— Vous verrez sans doute un rassemblement...

Les rues étaient comme laquées et paraissaient noires. Il n'y avait presque pas de circulation. Ils ne mirent que quelques minutes pour atteindre Montmartre, mais pas le Montmartre des boîtes de nuit et des touristes. L'avenue Junot était comme en marge de cette agitation, surtout bordée par les villas que des artistes, qui avaient débuté sur la Butte et qui lui étaient restés fidèles, y avaient fait construire après avoir réussi.

Sur le trottoir de droite, on apercevait un rassemblement et, malgré l'heure, on voyait des lumières aux fenêtres, des gens, en tenue de nuit, accoudés.

Le commissaire du quartier était déjà arrivé, un petit homme maigre et timide qui se précipita vers Maigret.

— Je suis content que vous soyez là, Monsieur le Divisionnaire... C'est une affaire qui risque de faire du bruit...

— Vous êtes sûr de son identité?

— Voici son portefeuille...

Il lui tendait un portefeuille en crocodile noir qui ne contenait qu'une carte d'identité, un permis de conduire et une feuille de bloc-notes sur laquelle étaient inscrits quelques numéros de téléphone.

— Pas d'argent?

— Toute une liasse de billets, trois ou quatre mille francs, je n'ai pas compté, dans la poche revolver.

— Pas d'arme?

— Un Smith et Wesson qui n'a pas servi récemment...

Maigret s'approcha du corps et cela lui faisait un drôle d'effet de voir ainsi M. Maurice de haut en bas. Il portait un smoking, comme tous les soirs, et une large tache de sang s'étalait sur le plastron de sa chemise.

— Aucune trace sur le trottoir?

— Non.

— Qui a découvert le corps?...

— Moi, fit une voix douce derrière lui.

C'était un vieillard dont les cheveux blancs

formaient une auréole au-dessus de sa tête. Maigret croyait bien reconnaître un peintre assez célèbre mais il ne retrouvait pas son nom dans sa mémoire.

— J'habite la villa juste en face... La nuit, il m'arrive de me réveiller et d'avoir de la peine à retrouver le sommeil...

Il portait un pyjama sur lequel il avait enfilé un vieil imperméable. Il était chaussé de pantoufles rouges.

— Dans ces cas-là, je me mets à la fenêtre et je regarde dehors. L'avenue Junot est calme, déserte. Il n'y passe pratiquement pas de voitures... J'ai été surpris de voir une forme noire et blanche sur le trottoir et je suis descendu voir... J'ai appelé le commissariat... Ces messieurs sont arrivés dans une voiture qui actionnait sa sirène et toutes les fenêtres se sont garnies de curieux...

Ils étaient une vingtaine à regarder le corps et le petit groupe d'officiels, des passants, des voisins en tenue de nuit. Un médecin du quartier expliquait :

— Moi, je n'ai plus rien à faire ici... Je vous jure qu'il est bien mort... Le reste, c'est l'affaire du médecin légiste...

— Je lui ai téléphoné, annonça le commissaire de police. J'ai également averti le Parquet...

Et, en effet, un substitut du procureur descendait de voiture, accompagné de son greffier. Il s'étonna de trouver Maigret sur les lieux.

— Vous croyez que c'est une affaire importante?

— Je le crains... Vous connaissez Maurice Marcia?

— Non.

— Vous n'êtes jamais allé dîner à la Sardine?

— Non.

Il fallut lui expliquer qu'on y rencontrait aussi bien des gens du monde et des artistes que des truands de haut vol.

Le docteur Bourdet, le médecin légiste qui avait remplacé le docteur Paul, descendait de taxi en grommelant, serrait distraitement les mains, lançait à Maigret :

— Tiens! Vous êtes là aussi, vous!...

Il alla se pencher sur le corps, examina la blessure à l'aide d'une torche électrique qu'il avait dans sa trousse.

— Une seule balle, si je ne me trompe, mais de fort calibre et tirée presque à bout portant...

— A quelle heure remonte la mort?

— S'il a été amené ici tout de suite, le crime a dû être commis vers minuit... Mettons entre minuit et une heure du matin... Je vous en dirai davantage après l'autopsie...

Maigret s'approcha de Véliard, un inspecteur du XVIIIe arrondissement, qui se tenait modestement à l'écart.

— Vous connaissiez M. Maurice?

— De réputation et de vue.

— Il habite le quartier?

— Je crois savoir qu'il habite le IXe arrondissement... Du côté de la rue Ballu...

— Il n'avait pas de maîtresse dans le coin?

C'était curieux, en effet, avec un mort sur les bras, de venir d'un autre quartier pour le déposer dans la paisible avenue Junot.

— Je pense que j'en aurais entendu parler... Quelqu'un qui doit être au courant, c'est l'inspecteur Louis, du IXe, qui connaît comme ses poches les environs de Pigalle.

Maigret serra des mains autour de lui et pénétra dans la petite voiture noire au moment où arrivait un journaliste, un grand roux, aux cheveux en bataille.

— Monsieur Maigret...

— Pas maintenant... Adressez-vous à l'inspecteur ou au commissaire de police...

Et il lança à son chauffeur :

— Rue Ballu...

Il avait gardé machinalement la carte d'identité du mort et il ajouta après l'avoir consultée :

— 21 bis...

C'était un hôtel particulier assez vaste, comme il y en avait plusieurs dans la rue, et qui avait été transformé en immeuble locatif. On voyait entre autres, à droite du portail, une plaque de cuivre qui portait le nom d'un dentiste et la mention « 2e étage ». Au troisième, c'était un neurologue.

La sonnerie éveilla la concierge.

— M. Maurice Marcia, s'il vous plaît?

— M. Maurice n'est jamais ici à cette heure. Pas avant quatre heures du matin.

— Et Mme Marcia?

— Je crois qu'elle est rentrée. Je doute qu'elle vous reçoive. Essayez toujours, si cela en vaut la peine. Premier étage. La porte de gauche. Ils ont tout l'étage, mais la porte de droite est condamnée.

L'escalier était large, couvert d'un tapis épais. Les murs étaient en marbre jaunâtre. Il n'y avait aucune indication sur la porte de gauche et Maigret en poussa le bouton.

D'abord, ce fut le silence. Puis il sonna à nouveau et il finit par y avoir des pas à l'intérieur. A travers la porte, une voix féminine demanda, endormie :

— Qu'est-ce que c'est?

— Commissaire Maigret.

— Mon mari n'est pas ici. Adressez-vous au restaurant, rue Fontaine.

— Votre mari n'y est pas non plus.

— Vous y êtes allé?

— Non. Mais je sais qu'il ne s'y trouve pas.

— Attendez un instant, que je passe un peignoir...

Quand elle ouvrit, elle portait, sur une chemise de soie blanche, un peignoir d'un jaune doré. Elle était jeune, beaucoup plus jeune que son mari, qui avait plusieurs années de plus que Maigret, aux alentours de soixante ou de soixante-deux ans.

Elle le regardait, indifférente, à peine curieuse.

— Pourquoi cherchez-vous mon mari à cette heure-ci?

Elle était grande, très blonde, avec un corps mince et souple de mannequin ou de chorus girl. Elle pouvait tout au plus avoir trente ans.

— Entrez...

Elle ouvrit la porte d'un grand salon où elle fit de la lumière.

— Quand avez-vous vu votre mari pour la dernière fois?

— Vers huit heures, comme les autres jours, quand il est parti pour la rue Fontaine.

— En voiture?

— Bien sûr que non. C'est à cinq cents mètres...

— Il ne prend jamais sa voiture pour s'y rendre?

— Sauf quand il pleut à verse...

— Il vous arrive de l'accompagner?

— Non.

— Pourquoi?

— Parce que ce n'est pas ma place. Qu'est-ce que je ferais là-bas?

— De sorte que vous passez toutes vos soirées ici?

Elle paraissait surprise par ces questions mais ne s'en formalisait pas. Elle ne montrait pas non plus une grande curiosité.

— Presque toutes. Comme à tout le monde, il m'arrive d'aller au cinéma.

— Vous n'allez pas lui dire bonsoir en passant?

— Non.

— Vous êtes allée au cinéma ce soir?

— Non.

— Vous êtes sortie?

— Non... Sauf pour promener le chien... Comme il pleuvait, je ne suis restée dehors que quelques minutes...

— Vers quelle heure?

— Onze heures? Peut-être un peu plus tard...

— Vous n'avez rencontré personne que vous connaissez?

— Non... A quoi riment ces questions et pourquoi mon emploi du temps de ce soir vous intéresse-t-il?

— Votre mari est mort...

Elle écarquilla les yeux. Ils étaient d'un bleu clair, assez émouvants. En même temps elle ouvrit la bouche comme pour crier mais sa gorge s'étrangla et elle porta la main à sa poitrine. Elle chercha un mouchoir dans la poche de son peignoir, s'en couvrit le visage.

Maigret attendait, immobile, assis dans un fauteuil Louis XV inconfortable.

— Son cœur? questionna-t-elle enfin en roulant le mouchoir en boule.

— Que voulez-vous dire?

— Il préférait qu'on n'en parle pas mais il avait une maladie de cœur et il voyait le professeur Jardin...

— Il n'est pas mort d'une défaillance du cœur... Il a été assassiné...

— Où?

— Je l'ignore... Son corps a été transporté ensuite avenue Junot et jeté sur le trottoir...

— Ce n'est pas possible... Il n'avait pas d'ennemis...

— Il faut croire qu'il en avait au moins un puisqu'il a été abattu...

Elle se leva d'une détente.

— Où est-il en ce moment?

— A l'institut médico-légal...

— Vous voulez dire qu'on va...

— Pratiquer l'autopsie, oui... C'est inévitable...

Un petit chien blanc vint paresseusement du fond du couloir et se frotta aux jambes de sa maîtresse qui ne parut pas s'en apercevoir.

— Qu'est-ce qu'ils disent, au restaurant?

— Je n'y suis pas encore allé. Que pourraient-ils dire?

— Pourquoi il a quitté la Sardine d'aussi bonne heure. Il reste toujours le dernier et c'est lui qui ferme la porte avant de faire la caisse...

— Vous avez travaillé là-bas?

— Non. Ce n'est qu'un restaurant. Il n'y a pas de numéros de danse ou de chant...

— Vous étiez danseuse?

— Oui.

— Vous ne dansez plus?

— Pas depuis que je suis mariée.

— Il y a combien de temps que vous êtes mariée?

— Quatre ans...

— Où l'avez-vous connu?

— A la Sardine... Je dansais au Canari... Quand on ne finissait pas trop tard, il m'arrivait d'aller y manger un morceau...

— C'est ainsi qu'il vous a remarquée?

— Oui.

— Vous étiez entraîneuse aussi?

Elle tiqua.

— Cela dépend de ce que vous entendez par-là. Lorsqu'un client nous y invitait, nous ne refusions pas de boire une bouteille de champagne avec lui, mais tout s'arrêtait là...

— Vous aviez un amant?

— Pourquoi me demandez-vous ça?

— Parce que je cherche qui pouvait en vouloir à votre mari...

— Je n'en avais pas quand je l'ai rencontré...

— Il était jaloux?

— Très.

— Et vous?

— Ne croyez-vous pas, Monsieur le Commissaire, que cet interrogatoire devient indécent, au moment où une femme vient d'apprendre la mort de son mari?

— Vous avez une voiture personnelle?

— Maurice m'a offert récemment une Alfa-Romeo.

— Et lui? Quelle voiture a-t-il?

— Une Bentley.

— Il conduisait?

— Il avait un chauffeur, mais il lui arrivait de conduire.

— Je m'excuse d'avoir été aussi désagréable; c'est malheureusement mon métier...

Il se levait en soupirant. Le silence régnait dans le grand salon dont un somptueux tapis chinois occupait le centre.

Elle le conduisait vers la porte.

— J'aurai peut-être, dans les jours qui suivent, d'autres questions à vous poser. Préférez-vous que je vous convoque au quai des Orfèvres ou que je vienne vous voir ici?...

— Ici...

— Je vous remercie...

Elle lui répondit par un sec bonsoir.

Il avait toujours l'estomac embarrassé, la tête lourde.

— A la Sardine, rue Fontaine...

Il y avait encore quelques voitures de luxe devant le restaurant et un portier en livrée faisait les cent pas sur le trottoir. Maigret entra et aspira l'air frais, car la salle était climatisée.

Un maître d'hôtel qu'il connaissait bien, Raoul Comitat, se précipita au-devant de lui.

— Une table, Monsieur Maigret?

— Non.

— Si c'est le patron que vous désirez voir, il n'est pas ici...

Le maître d'hôtel était chauve et avait le visage maladif.

— C'est rare, n'est-ce pas? remarqua Maigret.

— Cela n'arrive pratiquement jamais...

-:-

Le restaurant, spacieux, comportait vingt ou vingt-cinq tables. Le plafond était à poutres apparentes, les murs recouverts, jusqu'aux trois quarts, de vieux chêne. Tout était lourd, cossu, sans la plupart des fautes de goût qui accompagnent presque toujours le style rustique.

Il était plus de trois heures. Il ne restait qu'une dizaine de personnes, des acteurs et des artistes, en particulier, qui soupaient paisiblement.

— A quelle heure Marcia est-il parti?

— Je ne pourrais pas vous le dire exactement mais il devait être aux environs de minuit.

— Cela ne vous a pas surpris.

— Oh! si... En vingt ans, je me demande si c'est arrivé trois ou quatre fois. D'ailleurs, vous le connaissez. Je vous ai servi plusieurs fois avec votre dame. Toujours en smoking. Les mains derrière le dos. Il a l'air de ne pas bouger et pourtant il voit tout; on le croit dans la salle et il est déjà dans les cuisines ou dans son bureau...

— Vous a-t-il annoncé qu'il allait revenir?

— Il s'est contenté de murmurer :

« — A tout à l'heure.

« Nous étions près du vestiaire. Yvonne lui a tendu son chapeau. Je lui ai rappelé qu'il pleuvait et lui ai conseillé de prendre son imperméable que je voyais à un des crochets.

« — Cela ne vaut pas la peine... Je ne vais pas loin... »

— Il paraissait préoccupé?

— Il était difficile de lire sur son visage.

— Furieux?

— Certainement pas.

— Il n'a pas reçu de coup de téléphone, peu avant de partir?

— Il faut le demander à la caisse. Toutes les communications passent par la caissière... Mais... dites-moi... pourquoi ces questions?...

— Parce qu'il s'est fait abattre d'un coup de feu et qu'on l'a retrouvé étendu sur un trottoir de l'avenue Junot...

Les traits du maître d'hôtel se figèrent et sa lèvre inférieure eut un léger tremblement.

— Ce n'est pas possible... murmura-t-il pour lui-même. Qui a pu faire ça?... Je ne lui connais pas un seul ennemi... Au fond, c'était un brave homme, tout heureux, tout fier de sa réussite... Il y a eu bagarre?...

— Non. Il a été tué ailleurs et on l'a transporté, sans doute en auto, jusqu'à l'avenue Junot... Vous m'avez bien dit qu'il portait un chapeau quand il est sorti?

— Oui.

Il n'y avait pas de chapeau par terre avenue Junot.

— J'ai quelques questions à poser à la caissière.

Le maître d'hôtel se précipitait vers une table où les clients réclamaient l'addition.

Elle était prête et il la mit dans une assiette, à demi couverte d'une serviette.

La caissière était une petite brune, maigrichonne, qui avait de beaux yeux noirs.

— Je suis le commissaire Maigret...

— Je sais...

— Inutile de vous le cacher plus longtemps : votre patron vient d'être assassiné...

— C'est pour ça que vous aviez l'air de comploter avec Raoul... J'en ai les jambes coupées... Il était encore là, où vous êtes, tout à l'heure...

— Il n'a pas reçu de coups de téléphone?

— Un seul, quelques instants avant son départ.

— D'un homme? D'une femme?

— C'est justement ce que je me suis demandé. Cela aurait pu être l'un ou l'autre, un homme à la voix un peu aiguë ou une femme à la voix plutôt grave...

— Vous aviez déjà entendu cette voix-là auparavant?

— Non. On a demandé à parler à M. Maurice...

— C'est ainsi qu'on l'a appelé?

— Oui. Comme le font tous les familiers. Je lui ai demandé de la part de qui et il a répondu :

« — Il le saura bien...

« Le temps que je lève les yeux et M. Maurice était devant moi.

« — C'est pour moi?... Quel nom vous a-t-on donné?...

« Aucun nom...

« Il a froncé les sourcils et a tendu la main vers l'appareil.

« — Qui me demande?...

« Bien entendu, je n'entendais pas ce qui se disait à l'autre bout du fil.

« — Vous dites?... Je vous entends mal... Hein?... Vous en êtes sûr?... Si jamais je mets la main sur vous...

« On devait téléphoner d'une cabine publique car on a remis de la monnaie, j'ai bien reconnu le son.

« — Je sais aussi bien que vous où cela se trouve...

« Il a raccroché sèchement. Il allait se diriger vers la porte quand il a fait demi-tour et a gagné son bureau, derrière les cuisines... »

— Il y va souvent?

— Rarement pendant la soirée. En arrivant, il va y jeter un coup d'œil sur le courrier. Le soir, après la fermeture, je lui porte la caisse et nous vérifions ensemble...

— L'argent reste ici jusqu'au lendemain?

— Non. Il l'emporte dans une serviette qui ne sert pratiquement qu'à ça...

— Je suppose qu'il est armé?

— Il prend son automatique dans le tiroir et le glisse dans sa poche...

Cette nuit-là, M. Maurice ne transportait pas de fonds et pourtant il était retourné dans son bureau pour aller chercher son automatique.

— Il n'y a pas une seconde arme qui reste toujours ici?

— Non. Je ne lui connais que celle-là.

— Voulez-vous me montrer son bureau?

— Un instant...

Elle tendit une note à Raoul Comitat.

— Par ici...

Ils suivaient un corridor au mur peint en vert. A gauche, un panneau vitré laissait voir la cuisine où quatre hommes paraissaient remettre les choses en ordre.

— C'est ici... Je suppose que vous avez le droit d'entrer...

Le bureau était simple, sans luxe. Trois bons fauteuils de cuir, un bureau empire, en acajou, un coffre-fort derrière et des rayonnages avec quelques livres et des magazines.

— Il y a de l'argent dans ce coffre?

— Non. Seulement la comptabilité. On pourrait s'en passer. Il était déjà là quand M. Maurice a racheté le restaurant et il ne l'a pas fait enlever...

— Où se trouve d'habitude le pistolet?

— Dans le tiroir de droite...

Maigret l'ouvrit. Il y avait des papiers, des cigarettes, des cigares, mais pas d'automatique.

— Est-ce que Mme Marcia téléphone souvent à son mari?

— A peu près jamais...

— Elle ne l'a pas fait cette nuit?

— Non. La communication serait passée par moi.

— Et lui? Il ne l'appelle pas?

— Rarement. Je ne me souviens pas de la

dernière fois qu'il l'a fait; c'était avant Noël dernier...

— Je vous remercie...

Maigret sentait le poids de sa fatigue et il se laissa tomber sur la banquette de la petite auto noire.

— Boulevard Richard-Lenoir...

La pluie avait cessé mais le sol était toujours luisant et le ciel commençait à s'éclaircir à l'est.

Il sentait confusément que quelque chose clochait dans cette histoire. Certes, M. Maurice n'était pas un saint. Il avait eu une jeunesse plutôt turbulente et il avait été condamné plusieurs fois pour proxénétisme.

Puis, vers la trentaine, il était monté en grade, devenant propriétaire d'une maison close qui était alors une des plus connues de Paris, rue de Hanovre.

La maison n'était pas à son nom. Il passait une bonne partie de ses après-midi aux courses. Quand ce n'était pas le cas, on était presque sûr de le trouver, avec d'autres truands, jouant aux cartes dans un bistrot de la rue Victor-Massé.

Certains l'appelaient le Juge. On prétendait que, quand un désaccord survenait entre gens du Milieu, c'était lui qui décidait en dernier ressort.

Il était bel homme, habillé par les meilleurs tailleurs, et il ne portait que du linge de soie. Il était marié et habitait déjà rue Ballu.

Il prenait de l'embonpoint avec l'âge et cela lui donnait une dignité accrue.

Tiens! Maïgret avait oublié de demander à la caissière si l'homme qui avait téléphoné avait un accent. Cela pouvait avoir son importance à un moment donné.

Pour le moment, il était en plein brouillard. Il se souvenait d'une phrase de Maurice Marcia lors d'une de leurs dernières entrevues quai des Orfèvres. Marcia n'était pas en cause personnellement, mais son barman semblait avoir participé à un hold-up. Il s'agissait de la succursale d'une grande banque, à Puteaux.

— Que pensez-vous de ce Freddy?

Le barman s'appelait Freddy Strazzia et était originaire du Piémont.

— Je pense que c'est un bon barman.

— Vous le croyez honnête?

— Voyez-vous, Monsieur le Commissaire, cela dépend de ce que l'on entend par là. Il y a honnête et honnête. Quand nous nous sommes connus, alors que nous étions comme qui dirait l'un et l'autre des débutants, je ne me considérais pas comme un malhonnête homme, ce qui n'a pas été votre avis ni celui des juges.

« Petit à petit, j'ai changé... On peut dire que j'ai passé près de quarante ans de ma vie à devenir un honnête homme. Alors, c'est comme pour les convertis. On prétend qu'ils sont les plus fervents... Eh bien, les honnêtes gens qui se sont faits eux-mêmes sont plus scrupuleux que les autres...

« Vous me demandez si Freddy est honnête. Je n'en mettrais pas ma main à couper mais, ce dont je suis sûr, c'est qu'il n'est pas assez idiot pour tremper dans une affaire aussi mal goupillée que celle-là... »

La voiture s'était arrêtée devant sa maison. Il remercia le chauffeur et monta lentement, le souffle un peu court. Il avait hâte de s'étendre dans son lit et de fermer les yeux.

— Fatigué?

— Je n'en peux plus...

Moins de dix minutes plus tard, il dormait.

-:-

Il était à peu près onze heures quand il commença à remuer et Mme Maigret ne tarda pas à lui apporter une tasse de café.

— Tiens! s'étonna-t-il. Le soleil est revenu...

— C'est l'affaire de la rue Fontaine qui t'a retenu cette nuit dehors?

— Comment le sais-tu?

— Par la radio. Par le journal. Il paraît que ce M. Maurice est une personnalité bien parisienne.

— Mettons un personnage, rectifia-t-il.

— Tu le connaissais?

— Depuis mes débuts à la P.J.

— Tu comprends pourquoi on est allé se débarrasser de son corps avenue Junot?

— Je ne comprends encore rien... avoua-t-il. Je comprends d'autant moins que Marcia avait son automatique en poche.

— Et alors?

— Cela m'étonne qu'il n'ait pas tiré le premier. Il a dû être surpris...

En robe de chambre, il s'installa dans son

fauteuil et décrocha le récepteur téléphonique, composa le numéro de la P.J.

A cette heure, Lucas, qui avait été de nuit, se la coulait douce entre ses draps. C'était Janvier qui était au bout du fil.

— Pas trop fatigué, patron?

— Non. Maintenant, cela va. Tu es au courant?

— Par les journaux, par les rapports qui viennent d'arriver, en particulier celui du commissariat du XVIIIe. J'ai reçu aussi un coup de téléphone du docteur Bourdet.

— Que dit-il?

— Le coup a été tiré à un mètre environ, peut-être un mètre cinquante. L'arme est vraisemblablement un revolver canon court, calibre 32 ou 38... Il l'a envoyée au laboratoire... Quant au pauvre Marcia, sa mort a été presque instantanée car il a eu une hémorragie interne...

— Il n'a donc pas beaucoup saigné?

— Très peu...

— Il avait une maladie de cœur?

— Bourdet ne m'en a pas parlé. Vous voulez que je lui téléphone?

— Je vais le faire moi-même. Je serai au bureau de bonne heure cet après-midi. S'il y a n'importe quoi de nouveau, appelle-moi...

Quelques minutes plus tard, il avait le docteur Bourdet à l'appareil.

— Je suppose que vous vous levez, vous, dit-il à Maigret. Moi, j'ai travaillé jusqu'à neuf heures du matin et voilà qu'on m'apporte un autre client, ou plutôt une cliente...

— Dites-moi... En dehors de la blessure, vous n'avez rien remarqué de spécial, les signes d'une maladie quelconque?...

— Non. C'était un homme sain, fort bien conservé pour son âge...

— Rien du côté du cœur?

— Autant que j'en puisse juger, il avait le cœur en bon état...

— Je vous remercie, Docteur...

Est-ce que Line, la blonde femme de Marcia, ne lui avait pas parlé du professeur Jardin, chez qui son mari allait de temps à autre en consultation? Il appela le professeur, puis l'hôpital où il se trouvait.

— Excusez-moi de vous déranger, Monsieur le Professeur... Ici, le commissaire Maigret... Je crois qu'un de vos clients est mort cette nuit de mort violente... Je parle de Maurice Marcia...

— Ce restaurateur de Montmartre?

— Oui.

— Je l'ai vu une seule fois. Je crois qu'il envisageait de prendre une assurance-vie et, avant d'effectuer les examens officiels, il a préféré voir un médecin de son choix...

— Le résultat?

— Cœur parfait...

— Je vous remercie...

— Alors, questionna Mme Maigret, il était malade?

— Non.

— Pourquoi sa femme t'a-t-elle dit...

— Je n'en sais pas plus que toi. Donne-moi une seconde tasse de café, veux-tu?

— Qu'est-ce que tu aimerais manger?...

Il avait encore le souvenir de ses lourdeurs d'estomac de la nuit.

— Du jambon, des pommes de terre à l'huile et de la salade verte...

— C'est tout? Tu n'as pas digéré mes pintadeaux?

— Ceux-là, je les ai digérés, mais je crois que Pardon et moi avons un peu forcé sur la prunelle... Sans compter que le vin...

Il se leva en soupirant et alluma sa première pipe, puis il alla se camper devant la fenêtre ouverte. Il n'y était pas de dix minutes que la sonnerie du téléphone l'appelait.

— Allô, patron... Ici, Janvier... Je viens de recevoir la visite de l'inspecteur Louis, du IXe... C'est vous qu'il espérait voir. Il paraît qu'il a quelque chose d'intéressant à vous dire... Il demande si vous pourriez le recevoir au début de l'après-midi...

— Qu'il se présente à mon bureau à deux heures...

Avec Louis, on ne savait jamais. C'était un curieux homme. Agé de quarante-cinq ans environ, il devait y avoir quinze ans qu'il était veuf et il continuait à s'habiller de noir des pieds à la tête, comme s'il portait encore le deuil de sa femme. D'ailleurs, dans son arrondissement, ses collègues, entre eux, l'appelaient le Veuf.

On ne le voyait jamais rire ni plaisanter. Quand il était de service au bureau, il travaillait sans jamais s'interrompre. Comme il ne fumait pas, il n'avait même pas à allumer sa pipe ou sa cigarette.

Le plus souvent, il travaillait dehors, la nuit de préférence. Il était probablement l'homme de Paris qui connaissait le mieux le quartier Pigalle.

Il interpellait rarement une femme ou un proxénète sans avoir de bonnes raisons et on le regardait passer avec une certaine inquiétude.

Il vivait seul dans l'appartement qu'il avait occupé jadis avec sa femme, de l'autre côté du boulevard, au bas de la rue Lepic. Lui-même était né dans le quartier. On le voyait souvent qui allait faire son marché.

Il connaissait sur le bout des doigts le pedigree de tous les mauvais garçons du coin, l'histoire de toutes les filles.

Il entrait dans les bars, sans jamais retirer son chapeau. Il commandait invariablement un quart Vichy. Il pouvait rester ainsi longtemps, à regarder autour de lui. Parfois il s'adressait au barman.

— Je ne savais pas que Francis était revenu de Toulon.

— Vous en êtes sûr?

— Il vient de m'apercevoir et de filer vers les toilettes...

— Je ne l'ai pas vu... Cela m'étonne car, d'habitude, quand il monte à Paris, il vient me serrer la main...

— C'est probablement à cause de moi...

— Avec qui était-il?

— Madeleine...

— C'est son ancienne...

Il ne prenait jamais de notes et pourtant tous les noms, les prénoms, les surnoms de ces messieurs et de ces dames étaient classés méthodiquement dans sa tête.

La rue Fontaine était dans son secteur. Il devait en savoir plus long sur M. Maurice que Maigret et que n'importe qui. En outre, ce n'est pas par hasard qu'il s'était présenté quai des Orfèvres, car c'était un timide.

Il savait qu'il ne dépasserait jamais le grade d'inspecteur et il s'en contentait sagement, faisant son métier du mieux qu'il pouvait. N'ayant plus aucune passion, il y consacrait sa vie.

— Je descends acheter du jambon...

Il la regarda par la fenêtre, elle s'éloignait vers la rue Servan. Il était heureux d'avoir une femme comme elle et il avait aux lèvres un petit sourire de satisfaction.

Combien de temps l'inspecteur Louis avait-il vécu avec sa femme avant qu'elle ne se fasse renverser par un autobus? Quelques années au plus, puisqu'il n'avait que trente ans à l'époque. Il regardait par la fenêtre, comme Maigret en ce moment, et l'accident s'était produit sous ses yeux.

Maigret toucha du bois, ce qui n'était pas son habitude, et ne quitta pas la fenêtre avant de voir sa femme traverser à nouveau le boulevard et pénétrer dans l'immeuble.

Louis était le nom de famille de l'inspecteur. Maigret avait pensé un moment à l'attacher à sa brigade, mais il était tellement lugubre que l'atmosphère du bureau des inspecteurs en aurait été affectée.

Au bureau du IXe, où ils n'étaient que trois inspecteurs et un stagiaire, on s'arrangeait pour que Louis ait le plus possible de travail à l'extérieur.

— Pauvre type !...

— Tu parles tout seul?

— Qu'est-ce que j'ai dit?

— Tu as dit « Pauvre type »... Tu pensais à Marcia?...

— Non. Je pensais à quelqu'un qui a perdu sa femme il y a quinze ans et qui porte encore son deuil...

— Il n'est tout de même pas tout habillé de noir? Cela ne se fait plus.

— Il le fait. Peu lui importe ce que les gens pensent de lui. Certains, qui le voient pour la première fois, le prennent pour un clergyman et l'appellent « mon père... »

— Tu ne te rases pas? Tu ne prends pas ton bain?

— Si. Mais je me sens délicieusement paresseux...

Il finit sa pipe avant d'entrer dans la salle de bains.

CHAPITRE

2

Les fenetres, dans le bureau de Maigret, étaient à nouveau ouvertes sur le frémissement de l'air du dehors et sur le bruit des voitures et des bus sur le pont Saint-Michel.

L'inspecteur Louis s'assit au bord de la chaise que le commissaire lui désignait. Il avait les gestes lents, presque solennels, comme sa tenue noire qui frappait davantage encore par cette journée de printemps.

— Je vous remercie d'avoir bien voulu me recevoir, Monsieur le Divisionnaire...

Il avait la peau fine et très blanche, presque une peau de femme, sur laquelle tranchaient ses épaisses moustaches noires. Ses lèvres étaient rouges, comme s'il était maquillé, et pourtant il n'y avait en lui rien d'efféminé.

Il avait dû être le timide de sa classe, celui qui rougissait et se mettait à bégayer dès que le maître lui adressait la parole.

— Je voudrais me permettre de vous poser une question.

— Je vous en prie...

— Est-ce que, parce que le corps a été découvert avenue Junot, ce sont les inspecteurs du XVIIIe qui enquêtent?

Maigret eut besoin de réfléchir avant de répondre :

— Ils vont certainement questionner les témoins éventuels, rechercher une voiture qui s'est arrêtée dans l'avenue au milieu de la nuit, interroger le vieux peintre qui a alerté la police ainsi que les autres voisins...

— Mais pour le reste?

— Comme vous le savez, c'est l'affaire de la brigade criminelle. Ce qui ne nous empêche pas d'accepter ou de solliciter l'aide des inspecteurs d'arrondissements. Vous connaissez bien Montmartre, n'est-ce pas?

— J'y suis né et j'y habite encore.

— Vous avez été en contact avec Maurice Marcia...

— Avec lui et ses employés...

Il rougit. Il devait faire un gros effort pour dire tout ce qu'il s'était promis de dire.

— Voyez-vous, je travaille surtout pendant la nuit. Je finis par connaître tout le monde. A Pigalle, ils sont habitués à moi. J'échange quelques mots avec l'un, avec l'autre... J'entre dans les bars et les cabarets où, sans attendre ma commande, on me sert un quart Vichy.

— Je suppose que, si vous êtes venu me voir, c'est que vous avez une idée sur l'assassinat de Marcia.

— Je crois savoir qui l'a tué.

Maigret tirait doucement sur sa pipe, un peu renversé en arrière, observant son interlocuteur avec curiosité, avec même une certaine fascination.

— Vos soupçons ont-ils une base?

— Oui et non.

Il était embarrassé et n'osait pas regarder le commissaire en face.

— J'ai reçu ce matin un coup de téléphone...

— Anonyme?

— Plus ou moins... Il y a des années que je reçois des appels téléphoniques de la même personne...

— Une femme ou un homme?

— Un homme... Il a toujours refusé de me dire son nom... Lorsqu'il se passe, à Montmartre, quelque chose de plus ou moins mystérieux, il m'appelle et commence toujours par dire :

« — C'est moi...

« Je reconnais sa voix. Je sais qu'il téléphone d'une cabine publique et il ne perd pas de temps, me dit juste l'essentiel. Par exemple :

« — Il se prépare un braquage dans le quartier de la Chapelle... C'est la bande de Coglia... »

Maigret objecta :

— Coglia est en prison pour plusieurs années encore.

— Ses anciens complices continuent...

— Votre indicateur anonyme ne se trompe jamais?

— Non...

— Il ne vous demande pas d'argent?

— Non plus... Il ne me demande pas davantage de fermer les yeux sur des activités plus ou moins illégales...

Maigret commençait à être intéressé.

— Et il vous a téléphoné ce matin?

— Oui. A huit heures, juste avant que je sorte pour faire mon marché... Je vis seul et je suis obligé de faire mon marché moi-même...

— Que vous a-t-il dit exactement?

— M. Maurice a été abattu par un des frères Mori...

— C'est tout?

— C'est tout. Vous connaissez les frères Mori, Manuel et Jo?

— Voilà plus de deux ans que nous essayons de les prendre en flagrant délit... Jusqu'ici, nous n'avons encore rien pu relever contre eux...

— Moi aussi, je les surveille. Ils ne vivent pas ensemble. Manuel, l'aîné, qui a trente-deux ans, occupe un appartement bourgeois et même luxueux square La Bruyère...

A deux pas de la Sardine.

— Jo, lui, qui a vingt-neuf ans, a une chambre et un salon à l'Hôtel des Iles, avenue Trudaine...

« Mais vous devez avoir tous ces renseignements dans leur dossier. Ils ont monté une affaire d'importation de fruits et légumes rue du Caire. L'un ou l'autre y est tous les jours. C'est un long entrepôt dans lequel on entre de plain-pied en venant de la rue... »

— Ils sont en relation avec M. Maurice?

— Ils vont parfois dîner chez lui. Ils ne sont pas les seuls, parmi les truands, à fréquenter la Sardine...

— Est-ce que Marcia leur donnait un coup de main à l'occasion?

— Je ne le pense pas. Il était devenu timoré et tenait à sa respectabilité.

— Duquel des deux frères parlait votre correspondant anonyme?

— Je n'en sais rien mais je ne tarderai sûrement pas à recevoir un nouveau coup de téléphone. C'est pourquoi je me suis permis de vous demander cette entrevue.

— Vous voudriez collaborer à l'enquête?

— Je voudrais y collaborer, officieusement, en quelque sorte, de mon côté. Je ne suis jamais sorti de mes attributions. On peut me faire confiance. Je vous promets de vous tenir au courant de tout ce que je pourrais découvrir.

— Vous connaissez bien les frères Mori?

— Je les rencontre dans plusieurs bars... Manuel avait une maîtresse martiniquaise et qui était très belle...

— Qu'est-elle devenue?

— Elle danse et chante dans une boîte pour touristes...

— Par qui l'a-t-il remplacée?

— Par personne... Je le vois toujours seul, ou avec son frère... Celui-ci est en ménage avec une jeune fille de province. Elle s'appelle Marcelle et a vingt-deux ans...

— Vous ne pensez pas qu'elle pourrait être le point faible de la chaîne?

— Elle est folle de Jo Mori et elle a du caractère...

— Vous croyez qu'elle est au courant des affaires des deux frères?

— Je ne sais pas jusqu'à quel point ils lui font confiance... Je ne les ai jamais vus non plus avec des gens qui pourraient leur servir de complices quand ils font un coup...

On en était peut-être au dixième cambriolage, tous accomplis de la même façon, selon une technique identique. Il s'agissait toujours d'un château ou d'une grosse propriété en province, dans un rayon d'à peu près cent cinquante kilomètres de Paris.

Les cambrioleurs étaient bien renseignés. Ils connaissaient les objets, les tableaux ou les meubles de valeur qui se trouvaient dans les bâtiments. Ils savaient aussi si les propriétaires étaient absents et combien de personnes gardaient les lieux.

Ils opéraient sans bruit, sans effraction. En moins d'une heure, ce qui était plus ou moins facile à revendre était déménagé. Ils disposaient donc d'au moins un camion.

Or, les frères Mori en avaient deux qui servaient à leur commerce de fruits. Comme par hasard, il y avait deux ans aussi qu'ils avaient fondé leur maison d'importation.

Manuel avait travaillé auparavant chez un commissionnaire aux Halles. Jo, lui, était resté trois ans dans un bureau d'architecte.

Mais où était entreposé ensuite le produit des cambriolages? Il restait probablement à proximité de Paris, dans une villa ou une maison louée sous un autre nom?

— Qui pourrait jouer le rôle de surveillant de la marchandise?

— Je ne peux pas le jurer, mais je crois le savoir. La mère Mori.

— Vous la connaissez?

— Je ne l'ai jamais vue. Je sais qu'elle existe. Elle habitait Arles avec ses enfants. Quand ceux-ci sont montés à Paris, elle est restée encore quelques années dans le Midi avec sa fille. Celle-ci s'est mariée et vit à Marseille.

Ainsi, depuis longtemps, l'inspecteur Louis travaillait seul, patiemment, sans se servir des organismes compliqués de la police officielle.

— Comment savez-vous tout ça?

— Je regarde. J'écoute. J'ai des correspondants en différents endroits, des gens à qui il m'arrive de rendre un service...

— Qu'est devenue la mère Mori?

— Elle a revendu sa maison d'Arles ainsi que tout le mobilier et on ne l'a plus revue.

— Je parie que vous avez fouillé les campagnes aux environs de Paris...

— Cela m'arrive, le dimanche ou les jours de congé...

— Vous n'avez rien trouvé?

— Pas encore...

Il rougissait à nouveau, comme honteux de sa confiance en lui.

— Que savez-vous de Mme Marcia?

— Vous parlez de la dernière? Car il y en a

eu une, avant, avec qui il a vécu près de vingt ans. C'était un couple uni. Il l'avait ramassée dans la rue, c'est vrai, mais il en avait fait une bourgeoise. Quand elle est morte d'un cancer, il en a été très affecté et, pendant plusieurs mois, il n'a plus été le même homme...

Il fut un temps où, quand il était encore jeune, Maigret travaillait à la voie publique, puis dans les gares, le métro, les grands magasins. A cette époque, lui aussi connaissait tout le milieu interlope de Paris.

Maintenant, on l'avait enfermé dans un bureau et son chef était choqué quand il allait voir un suspect chez lui ou quand il fouinait dehors.

— Où a-t-il trouvé sa seconde femme, Line, avec qui il vit maintenant?

— Elle a travaillé comme danseuse au Tabarin, puis en dernier lieu au Canari. Je crois que c'est là qu'il l'a rencontrée. Malgré sa profession, elle était discrète, d'une tenue modeste, et il paraît qu'elle n'a jamais suivi les clients.

« C'est une femme qui a une certaine instruction. »

— Vous n'allez pas me dire d'où elle sort, ni d'où sont ses parents, quelles études elle a faites...

L'inspecteur Louis rougit une fois de plus.

— Elle est née à Bruxelles, où son père travaille dans une banque. Elle a étudié jusqu'à l'âge de dix-huit ans et elle est entrée dans la même banque. Elle a suivi à Paris un jeune homme qui espérait y faire fortune, un peintre. La réussite n'est pas venue aussi vite qu'il l'espérait. Line est entrée dans un magasin des Grands Boulevards, comme vendeuse.

« Son peintre l'a laissé tomber et elle s'est retrouvée au Tabarin où, au début, elle faisait de la figuration... »

Il y avait des années que Maigret connaissait l'inspecteur. Ils se rencontraient une fois au bout d'une lune, il est vrai, et ils avaient peu de rapports. Pendant un certain temps, il l'avait pris pour un imbécile solennel, puis il s'était rendu compte que c'était au contraire un garçon intelligent.

Maintenant, il le regardait avec une curiosité presque émerveillée.

— Il y a beaucoup de gens, à Montmartre, sur qui vous en savez autant?

— Vous savez, avec les années, cela s'accumule.

— Vous établissez des dossiers?

— Non. J'ai tout cela dans la tête. Je n'ai rien d'autre à faire, aucun autre intérêt dans la vie.

Maigret se leva et alla ouvrir la porte du bureau des inspecteurs.

— Tu veux venir un instant, Janvier?

Et aux hommes :

— Je suppose que vous vous connaissez?

Ils se serrèrent la main.

— Nous venons de bavarder assez longtemps, l'inspecteur Louis et moi, au sujet du meurtre de Marcia. Tu as du nouveau?

— Seulement qu'une voiture rouge s'est arrêtée un moment, vers une heure du matin, au milieu de l'avenue Junot.

— Nos hommes continuent l'enquête, bien entendu. Mais l'inspecteur Louis, qui connaît plusieurs protagonistes, travaillera de son côté et nous tiendra au courant de ses découvertes éventuelles.

« Tu connais les frères Mori? »

— Nous les avons soupçonnés un moment d'être à la tête de ce qu'on a appelé le gang des châteaux.

— Ils sont toujours surveillés?

— Pas particulièrement. On se tient seulement au courant de leurs allées et venues. Jo, le plus jeune, se rend assez souvent à Cavaillon et dans la région pour chercher des primeurs.

— A partir d'aujourd'hui, tu vas établir une filature de jour et de nuit...

— Des deux?

— Des deux...

— Toujours à cause des châteaux?

— Non. Cette fois, il s'agit d'un meurtre. Celui de Maurice Marcia.

Janvier regarda machinalement son collègue du IXe. Il n'était pas trop content, cela se voyait, de l'intrusion de l'inspecteur Louis dans cette affaire.

— Il y a quelqu'un d'autre à surveiller?

— La veuve...

— Vous croyez?...

— Je ne crois rien, tu le sais. Je cherche. Nous cherchons tous.

Il serra la main de l'inspecteur Louis.

— Vous remontez à Montmartre?

— Oui.

— Vous avez une voiture?

— Non.

— J'y monte aussi. Profitez de la mienne. J'aimerais que tu m'accompagnes, Janvier.

Celui-ci se mit au volant. Maigret fumait sa pipe à côté de lui et Louis était seul sur la banquette arrière où il ne se sentait pas très à son aise.

Il avait toujours rêvé de travailler directement pour le quai des Orfèvres et la mission que Maigret lui avait donnée était comme une promotion.

Rue Notre-Dame-de-Lorette, Janvier demanda :

— Où allons-nous?

— Plus haut. Rue Ballu.

— Chez Maurice Marcia?

— Oui.

— Où est-ce qu'on vous dépose?

— N'importe où, maintenant que je suis dans mon quartier.

— Dans ce cas, je vais vous laisser ici...

— Vous savez où me joindre. Mon numéro personnel est dans l'annuaire...

— Je vous remercie...

Il sortit gauchement et commença à marcher le long du trottoir à pas réguliers, sans se presser.

Quelques minutes plus tard, Maigret et Janvier sonnaient à la porte de l'ancien hôtel particulier. La concierge leur ouvrit. Elle avait à peine une quarantaine d'années et elle était assez jolie. Elle les regarda à travers la porte vitrée et le commissaire poussa celle-ci.

— On a ramené le corps?

— Pas encore, mais ces messieurs des pompes funèbres sont là-haut... Je crois que le corps sera ici vers la fin de l'après-midi...

— Je vous présente l'inspecteur Janvier qui travaille sur cette affaire, lui aussi. Depuis combien d'années Mme Marcia vit-elle dans cette maison?

— Depuis que tous les deux sont mariés... Il doit y avoir quatre ans...

— Ils recevaient beaucoup?

— Pratiquement pas. Comme vous le savez, lui ne rentrait jamais avant trois ou quatre heures du matin. Il dormait toute la matinée, déjeunait, faisait la sieste, après quoi il avait la visite de son masseur.

— Il dînait ici?

— Rarement. La plupart du temps il dînait dans son restaurant.

— Avec sa femme?

— Non. Je crois qu'il n'aimait pas qu'elle mette les pieds à la Sardine...

— Pourquoi?

— Parce qu'il craignait, je suppose, qu'elle y fasse de mauvaises rencontres. N'oubliez pas qu'il avait la soixantaine et qu'elle avait à peine trente ans...

— Que faisait-elle de la journée?

— Elle donnait des instructions à la cuisinière et à la femme de chambre. Il lui arrivait d'aller chez Fauchon ou dans un autre magasin de luxe pour acheter des choses qu'on ne trouve pas dans le quartier... Une fois ou deux par semaine elle se rendait chez le coiffeur...

— Au centre?

— Rue de Castiglione, je crois...

— Et le soir?

— Elle lisait ou regardait la télévision. Avant de se coucher, elle sortait son chien pendant une dizaine de minutes...

— Elle n'allait pas au cinéma?

— Probablement que si. Une ou deux fois par semaine, elle restait dehors toute la soirée...

— Elle ne recevait jamais?

— Jamais.

— Je vous remercie. Elle est là-haut?

— Oui. Avec son couturier.

Ils ne prirent pas l'ascenseur et ils sonnèrent à la porte du premier étage. Ce fut une jeune femme de chambre aux seins énormes qui vint leur ouvrir.

— Vous désirez?

— Voir Mme Marcia.

— Mme Marcia est occupée.

— Nous attendrons...

— De la part de qui?

— Police Judiciaire...

— Un instant.

Elle les laissa dans le hall et se dirigea vers une porte du fond. La porte du salon était ouverte. Les meubles Louis XV en avaient disparu ainsi que le grand tapis chinois et des hommes juchés sur des échelles fixaient des tentures noires sur les murs.

Ainsi donc, on faisait les choses en grand et le salon se transformait en chapelle ardente. Sans doute le couturier était-il là pour les vêtements de deuil?

— Si vous voulez me suivre...

Elle les faisait entrer dans un bureau ou dans une bibliothèque où il y avait des livres du plancher au plafond. C'étaient des ouvrages reliés que M. Maurice n'avait certainement pas lus.

Les fauteuils étaient confortables. Il y avait un petit bar qui devait contenir un réfrigérateur et rien ne traînait sur le bureau dont les garnitures étaient rouges.

Dans cette pièce, on avait adopté le style anglais. Un humidificateur en acajou incrusté d'ivoire devait contenir des havanes coûteux. Est-ce que ces meubles et ces objets étaient déjà là quand Line était entrée dans la maison? Ou bien était-ce elle qui avait donné un certain style à l'appartement?

— C'est un bureau dans lequel on ne travaillait pas souvent... murmura Maigret à l'adresse de Janvier.

« Si tu avais vu les meubles du salon... On se serait cru dans un musée... »

— Cela va faire une fameuse chapelle ardente...

Des pas se rapprochaient et ils se turent.

-:-

Elle portait une robe noire en soie mate, très simple, et au doigt un diamant qu'elle ne devait jamais retirer. Elle s'arrêta un instant dans l'encadrement de la porte et il y avait de la surprise sur son visage. Son regard allait de Maigret à Janvier. Sa surprise venait-elle de trouver devant elle deux hommes au lieu d'un? Quelle importance y attachait-elle? Cela donnait-il, à ses yeux, un caractère plus officiel à l'entrevue?

— L'inspecteur Janvier, qui est un de mes principaux collaborateurs.

Elle remua légèrement la tête.

— Vous devez vous rendre compte que je suis très occupée...

— Nous le sommes aussi, croyez-le, et ce n'est pas pour notre plaisir que nous vous prenons de votre temps...

Ils étaient tous les trois debout. Ce fut Maigret, puisqu'elle ne le faisait pas, qui proposa de s'asseoir.

— Vous en avez pour longtemps?

— Je ne crois pas.

— Vous avez pu, hier, me poser toutes les questions que vous désiriez me poser. Je vous ai répondu franchement. Le corps sera ici à sept heures du soir.

Le commissaire fit comme s'il n'avait pas entendu. Regardant autour de lui de l'air d'un homme qui apprécie, il demanda:

— Le mobilier de l'appartement était déjà

ici quand vous y êtes venue il y a quatre ans?

— Cinq, rectifia-t-elle. Nous allions avoir cinq ans de mariage...

— Les meubles?

— Ils ont été achetés à cette époque. Avant, il y en avait d'autres.

— Moins luxueux, je suppose?

— D'un autre genre.

— Lequel de vous deux a suggéré de tout changer?

— Mon mari. Il ne voulait pas me voir vivre dans le cadre qui avait été longtemps celui de sa première femme.

— Je ne vous demande pas s'ils sont authentiques. J'ai admiré hier ceux du salon...

— Ils le sont, répliqua-t-elle de mauvaise grâce.

— Vous êtes allée les acheter avec lui?

— Il préférait aller seul visiter les antiquaires afin de me faire la surprise. Mais je ne vois pas ce que cette question de meubles...

— Elle n'a probablement rien à voir avec la mort de votre mari mais nous savons par expérience qu'en cas de meurtre on ne doit rien négliger. Votre mari était très riche?

— Je ne parlais pas d'argent avec lui. Je sais seulement que son restaurant marchait très bien et qu'il se donnait beaucoup de peine pour que cela continue.

— Il était très amoureux...

— Qu'est-ce qui vous fait penser ça?

— On n'aménage pas un décor comme celui de cet appartement pour une femme envers qui on est indifférent.

— Il m'aimait.

— Je parie que le mariage a eu lieu sous le régime de la communauté des biens.

— C'est normal, non?

— Quand doivent avoir lieu les obsèques?

— Après-demain, en l'église Notre-Dame-de-Lorette. Après la cérémonie, le corps sera transporté à Bandol, où nous avons une villa, et inhumé dans le cimetière de cette localité.

— Vous irez à Bandol?

— Bien entendu.

— D'autres amis s'y rendront?

— Non. Je ne sais pas. Cela ne dépend pas de moi.

— Une autre question. Que va-t-il advenir du restaurant?

— Il reste ouvert. Sauf après-demain, le jour des obsèques.

— Qui s'en occupera ensuite?

Elle hésita un instant.

— Moi... dit-elle enfin.

— Vous croyez que vous aurez l'expérience suffisante?

— Le personnel a travaillé si longtemps avec mon mari que la maison pourrait marcher seule...

— Votre genre de vie va être complètement changé...

Maigret savait qu'elle était exaspérée par ces questions qui semblaient ne rien signifier mais il continuait en prenant un air balourd.

— Mon genre de vie ne regarde personne tant que je n'enfreins pas les lois, n'est-il pas vrai?

— C'était une réflexion en l'air... Ici, vous étiez cloîtrée... Vous passiez toutes vos soirées seule...

— Personne ne m'empêchait de sortir...

— Je sais... Vous alliez parfois au cinéma... Mais vous n'aviez pas d'amis, pas d'amies...

La femme de chambre entra, hésitante.

— Ces messieurs demandent si nous avons des plantes vertes, parce que cela fait vide...

— Montrez-leur celles de la terrasse...

Et, à Maigret :

— Vous voyez qu'on a besoin de moi. Votre insistance me surprend désagréablement, surtout si vous aviez de la sympathie pour mon mari comme vous me le laissiez entendre hier...

— J'essayerai de vous déranger le moins souvent possible.

— Je vous avertis que je suis décidée à ne plus vous recevoir.

— Je le regrette, car cela m'obligera à vous convoquer quai des Orfèvres. Votre mari y est venu souvent, jadis, avant de devenir le propriétaire de la Sardine... Il n'avait pas non plus de villa à Bandol...

— Vous tenez à rappeler ces choses désagréables?

— Non. Contrairement à vous, il avait, lui, de bons amis. Je me demande si vous n'en connaissez pas quelques-uns. Peut-être les recevait-il, l'été, dans sa villa de Bandol... Les frères Mori, par exemple...

Si elle tressaillit, ce fut si discret qu'on ne pouvait pas en être sûr.

— Je devrais les connaître?

— Je vous pose la question. Ils sont deux, Manuel et Jo... Ils ont une affaire d'importation rue du Caire...

— Je ne les connais ni l'un ni l'autre...

— Ils dînaient assez souvent à la Sardine...

— Où je ne mettais pas les pieds...

— Une dernière question. Cet appartement est vaste. Allez-vous continuer à y vivre seule?

— Mon mari me l'a toujours demandé, comme il voulait que je garde le restaurant et la maison de Bandol.

« — C'est comme si j'étais encore un peu là, disait-il... »

— Il s'attendait à ce qui lui est arrivé?

— Certainement pas.

— Mais il portait un automatique dans sa poche...

— Seulement quand il rapportait l'argent... Tous ceux qui doivent transporter régulièrement de grosses sommes sont armés...

— Au fait, une fois ici, où mettait-il cet argent?

— Dans le coffre.

— Qui se trouve?

— Derrière cette toile de Delacroix que vous voyez à droite de la cheminée.

— Vous en connaissez la combinaison?

— Non. Je serai obligée de faire appel à un spécialiste, voire à la maison qui construit ces coffres-là...

— Je vous remercie...

Elle s'était levée et on la sentait toujours tendue. On aurait dit qu'elle passait en revue toutes les questions que le commissaire lui avait posées.

A quoi menaient-elles, en définitive? Maigret lui-même aurait été en peine de le dire. Il ressentait un certain malaise. Il y avait, dans cette affaire, des éléments qui ne lui plaisaient pas.

Il se retrouva dehors avec Janvier et le soleil était encore haut et cuisant.

— Vous croyez qu'elle en sait plus qu'elle n'en dit, patron?

— J'en mettrais la main au feu.

— Vous voulez dire qu'elle serait... mettons complice?

— Je ne vais pas jusque-là mais l'histoire est certainement beaucoup moins claire qu'elle voudrait nous le faire croire.

— Où allons-nous?

— Rue Fontaine...

Il n'y avait pas de clients à cette heure mais deux des garçons dressaient les couverts pour le dîner. Freddy, le barman, essuyait ses bouteilles et les rangeait sur l'étagère.

C'est vers lui que le commissaire se dirigea.

Freddy eut une drôle de moue, puis laissa tomber :

— Comitat n'est pas ici?

— Il se repose dans le bureau du patron...

— Déjà?

— Que voulez-vous dire?

— Que M. Maurice n'est pas encore enterré et qu'il en prend déjà à son aise...

— Vous vous trompez. Même du temps de M. Maurice, Raoul avait l'habitude de passer une heure, les yeux clos, dans un des fauteuils du bureau...

— Vous savez que les obsèques ont lieu après-demain?

— On ne me l'a pas encore appris.

— Le restaurant sera fermé afin que tout le personnel puisse y assister.

— C'est l'habitude, non?

— Ensuite, le corps sera inhumé à Bandol.

— Cela ne me surprend pas. Le patron est né entre Marseille et Toulon, je ne sais plus dans quel village, et il fermait le restaurant un mois tous les ans afin d'aller dans sa villa de Bandol...

— Vous ne vous demandez pas ce que le restaurant va devenir?

— Moi, cela m'est égal. Il y aura bien quelqu'un pour le faire marcher. C'est une affaire en or...

— Dorénavant, vous n'aurez plus un patron mais une patronne...

— Sans blague?

— Mme Marcia a décidé de prendre la place de son mari...

Freddy eut une drôle de moue, puis laissa tomber :

— Après tout, c'est son affaire...

— Vous la connaissez?

— Du temps où elle était au Tabarin. J'y ai travaillé pendant deux ans avant de venir ici. Elle y était chorus girl...

— Et que pensez-vous d'elle?

— Je n'ai pas eu beaucoup l'occasion de lui parler. Quand elle venait au bar, elle me commandait sa consommation et c'était tout... Je la trouvais assez pimbêche... Ici, à Montmartre, on est plutôt habitué au genre bonne fille... Avec ça, elle avait de la classe... Elle ne doit pas sortir de n'importe où et je ne serais pas surpris qu'elle ait une bonne instruction...

— Les frères Mori continuent à venir dîner souvent?

Freddy n'y vit pas malice.

— De temps en temps... Ce n'est pas régulier... Vous savez, leur affaire d'importation les oblige à se lever de bonne heure...

— Toujours amis avec le patron?

— M. Maurice allait s'asseoir un moment à leur table, comme il le faisait avec les bons clients... Il lui arrivait de leur offrir une vieille fine de sa réserve...

— Mais Mme Marcia ne venait jamais...

— Jamais...

— Vous ne savez pas pourquoi?

— Je suppose que M. Maurice était jaloux... C'est une jolie fille, pour ceux qui aiment ce genre-là... Il y avait entre eux une différence de plus de trente ans...

Il regarda vers le fond de la salle.

— Voilà Raoul qui vient prendre son poste.

Le maître d'hôtel les avait repérés et s'avançait vers eux, tendait la main à Maigret, puis à Janvier.

— C'est moi que vous êtes venus voir?

— Nous pensions bien vous trouver mais notre visite n'a aucune raison particulière. Je disais à Freddy que les obsèques auront lieu après-demain à l'église Notre-Dame-de-Lorette...

— Donc, on ferme... Il aurait été plus correct qu'on me le dise plus tôt... C'est quand même sur moi que repose pour le moment le poids de la maison... Il y a seize ans que j'y suis et elle...

Il s'arrêta, gêné. Il avait sans doute failli dire :

— Et elle ne couche dans son lit que depuis cinq ans...

— Vous savez qui va remplacer M. Maurice?

— A la façon dont vous me posez la question, je m'en doute. D'ailleurs, j'y ai déjà pensé hier. C'est elle, n'est-ce pas?

— Oui. Vous la connaissez?

— Je l'ai vue à Bandol. Le patron savait que j'étais sur la Côte, pendant les vacances, et il m'a invité à déjeuner dans sa villa... On y finirait volontiers ses jours, je vous assure... Ce n'est pas très grand... Pas de tape-à-l'œil...

Mais du vrai, du solide... Je suis du Midi, moi aussi... Je m'y connais un peu dans les anciens meubles provençaux... J'en ai rarement vu comme ceux de M. Maurice...

Il se tourna vers Freddy.

— Tu n'as pas encore servi ces messieurs? Qu'est-ce que vous prenez?

— Une bière...

— Moi aussi, dit Janvier un peu gêné.

Et Comitat soupira :

— Cela va quand même faire drôle d'avoir une femme pour patron... On aura l'air d'un bordel, quoi!...

— Certains clients se sentiront sans doute en famille...

— Vous savez, ici, il vient de tout, des ministres, des artistes, des metteurs en scène et même des banquiers. Des avocats aussi, et des médecins, sans compter, comme vous venez de le dire, quelques anciens truands...

— Les frères Mori viennent toujours?

Il y eut un court silence.

— De temps en temps. Pour ma part, je ne les ai jamais beaucoup aimés, surtout Manuel. Ce garçon-là veut toujours épater le monde. Il a des voitures époustouflantes et, à le voir, on pourrait le croire riche comme Crésus. Or c'est Jo, son frère, qui fait marcher l'affaire d'importation. Manuel met à peine les pieds rue du Caire et il est la plupart du temps en balade à Deauville, au Touquet ou ailleurs...

— Avec des femmes?

— Cela ne doit pas lui manquer, car il est

beau gosse, mais je ne lui connais pas de liaison sérieuse... Moi, cela ne me regarde pas... Le patron avait l'air de l'avoir plutôt à la bonne...

— Une chose me surprend. M. Maurice paraissait très amoureux et très jaloux de sa femme. Il la laissait seule avec la cuisinière et la femme de chambre à la maison... Or, si j'ai bien compris ce que m'a dit hier la caissière, il ne se donnait pas la peine de lui téléphoner, ne fût-ce que pour lui souhaiter la bonne nuit...

— Qu'en savez-vous?

— Que voulez-vous dire? La caissière a menti?

— Elle n'a pas menti, mais elle n'en sait pas plus que moi. Il arrivait très souvent au patron d'aller dans son bureau après avoir demandé qu'on branche son appareil sur une des lignes... Ainsi, il pouvait téléphoner à qui il voulait...

— C'était fréquent?

— Une fois, deux fois par soirée...

— Vous croyez que c'était sa femme qu'il appelait?

— Il traitait peut-être d'autres affaires, mais il devait lui téléphoner aussi...

— Et si elle n'avait pas été là...

Le maître d'hôtel le regarda sans répondre.

— Il faut croire que cela n'est jamais arrivé, murmura-t-il un peu plus tard.

Et on devinait son arrière-pensée.

La caissière avait pris son poste derrière le

petit comptoir qui lui était réservé et elle préparait sa caisse.

— Vous permettez que j'aille lui dire deux mots?

— Vous êtes ici chez vous, Commissaire...

Et, comme Maigret voulait payer les deux bières, il ajouta :

— C'est sur le compte de la maison.

— Bonsoir, Mademoiselle.

— Bonsoir, Monsieur le Commissaire...

— Vous m'avez dit hier, ou plutôt ce matin, que M. Maurice vous demandait peu de communications.

— C'est exact.

— Pourtant, il téléphonait presque chaque soir à sa femme!

— Je l'ignore. Il lui arrivait de me demander de brancher son appareil sur une des lignes... Dans ces cas-là, je ne pouvais savoir qui il appelait...

— C'était toujours à la même heure?

— Jamais avant onze heures... Plus souvent vers minuit et demi...

— Il ne téléphonait pas hors ville?

— De temps en temps. Je le sais par les relevés téléphoniques, car c'était moi qui étais chargée de régler les factures...

— Il appelait toujours le même endroit?

— Non... Celui qui revenait le plus souvent était un petit village que j'ai eu de la peine à trouver sur la carte : les Eglandes, dans l'Oise.

— Vous savez que vous allez avoir une patronne au lieu d'un patron?

— Je m'en doutais.

— Quel effet cela vous fait-il?

— Ce n'est jamais agréable... Enfin, on verra...

Il y avait maintenant deux clients au bar. Maigret et Janvier s'installèrent dans la voiture.

— Au Quai, patron?

— Je me demande si je ne vais pas rentrer chez moi... Je crois que je commence à devenir paresseux... Et c'est éreintant de poser des questions sans savoir à quoi elles mènent...

— Vous croyez que le meurtre de Marcia a été prémédité?

— Non... Ou alors c'est un des crimes les plus extraordinaires que je connaisse...

— Vous parlez sans cesse des frères Mori...

— Parce qu'il y a longtemps que je les ai à l'œil... Ce n'est pas pour rien que j'ai parlé du mobilier, tout à l'heure, à la grande surprise de Mme Marcia...

« Maurice était un homme fruste, sans aucune éducation artistique... Or, presque du jour au lendemain, il remplit son appartement de meubles anciens authentiques qui sont presque des pièces de musée... »

— La bande des cambrioleurs de châteaux?...

— Pourquoi pas? Il n'y a pas une faute de goût, en tout cas à ma connaissance. Je compte faire examiner l'appartement par un expert... Si ces meubles et ces fournitures ont été achetés chez des antiquaires, il existe des factures quelque part...

— Vous pensez que Line Marcia est au courant?

— Je n'en jurerais pas; je ne jurerais pas non plus du contraire. Elle a fort insisté pour nous dire qu'elle n'avait jamais accompagné son mari lors de ces achats...

C'était l'heure des embouteillages et ils mirent près de trois quarts d'heure à atteindre le boulevard Richard-Lenoir.

— A demain, mon petit Janvier.

— A demain, patron.

Maigret s'épongea avant de s'engager dans l'escalier. Il était en sueur.

— Quelqu'un a téléphoné trois fois sans vouloir me donner le numéro auquel tu pourrais le rappeler... Il essayera de t'avoir plus tard au bout du fil...

— Une voix d'homme? De femme?

— Cela pourrait être l'un ou l'autre... Il ou elle a répété que c'était de toute première importance, une question de vie ou de mort...

Au moment où Maigret, enfin détendu, allait enfin se mettre à table devant la fenêtre ouverte...

CHAPITRE

3

CE N'EST QUE VERS neuf heures que la sonnerie du téléphone résonna dans l'appartement et Maigret se précipita vers l'appareil, fermant la télévision au passage.

— Allô! Le commissaire Maigret?

Il entendait enfin la fameuse voix.

— Vous ne me connaissez pas, mais moi je vous connais. Je vous ai encore vu cet après-midi quand vous avez rendu visite à Line Marcia, puis quand vous êtes allé à la Sardine...

On lui avait parlé de la voix aussi bien comme d'une voix d'homme que d'une voix de femme. Pour Maigret, c'était plutôt la voix d'un gamin qui mue et un mot qui ne voulait rien dire lui venait à l'esprit : une voix de casse-noisette. Elle allait sans cesse de la basse à l'aigu et de l'aigu à la basse.

— Qui êtes-vous?

— Mon nom ne vous dirait rien. L'inspecteur Louis ne le connaît pas non plus et pourtant il y a des années que je lui téléphone plus ou moins souvent...

« J'ai essayé de l'atteindre aujourd'hui, mais il n'est ni chez lui ni à son bureau... Alors, j'ai décidé de m'adresser directement à vous... Dites-moi, quand l'arrêtez-vous? »

— Qui?

— Vous le savez aussi bien que moi. Mori... Manuel Mori, car c'est de l'aîné qu'il s'agit...

Maigret entendit la chute des pièces de monnaie. L'inconnu l'appelait d'une cabine téléphonique.

— C'est urgent, Monsieur le Commissaire... Il s'agit pour moi d'une question de vie ou de mort... Vous avez mis des inspecteurs sur les talons des deux frères... Je les ai tout de suite repérés... Les Mori sont des professionnels et ils les ont certainement repérés aussi... Ils savent donc que quelqu'un a parlé et, eux, me connaissent... Ils ne manqueront pas de penser à moi...

« Je vous en prie, arrêtez tout au moins Manuel... C'est le plus dangereux... C'est lui qui a tiré sur M. Maurice... »

— Pourquoi?...

Le silence se fit tout à coup à l'autre bout du fil et Maigret fronça les sourcils. Il attendit longtemps, mais le téléphone resta muet.

Cette fois, on n'entendait plus le bruit des pièces de monnaie mais c'était le vide, un vide angoissant.

— Il t'a dit qui il était? demanda Mme Maigret.

— Non. Il sait beaucoup de choses et c'est dangereux pour lui...

Il finit par se coucher, maussade, inquiet. Il

n'avait aucun moyen de protéger un homme dont il ne connaissait ni l'identité ni l'aspect.

Quand il pénétra au quai des Orfèvres, le lendemain matin, par un temps déjà chaud, il aperçut l'inspecteur Louis qui l'attendait sur un des bancs du long couloir.

— C'est moi que vous voulez voir?

— Oui, Monsieur le Divisionnaire...

— Vous avez eu des nouvelles de votre indicateur bénévole?

— Oui. Il m'a téléphoné au début de la nuit... S'il a interrompu sa conversation avec vous c'est qu'il a aperçu à travers la vitre de la cabine quelqu'un de connaissance par qui il préférait ne pas être vu... Il m'a annoncé aussi que, tant que les frères Mori ne seraient pas arrêtés, il ne donnerait plus signe de vie... Il va se planquer...

— Vous croyez vraiment qu'il court un danger?

— Oui. Sinon, il n'en parlerait pas.

— Quels sont les bruits qui courent à Montmartre?

— Que c'était l'un ou l'autre qui aurait son compte : Manuel ou M. Maurice... Ils étaient armés tous les deux... Je suppose que Mori a été le plus rapide...

— Et la raison de ce crime?

— Quand il m'est arrivé d'en parler à gauche et à droite, les gens se sont contentés de sourire...

— Vous croyez que Mori était l'amant de Line Marcia?

— J'y ai pensé. Si c'est vrai, elle jouait non

seulement sa fortune mais probablement sa vie...

— Vous êtes passé rue Ballu ce matin?

— Il y a déjà des tentures noires à la porte et beaucoup de gens qui entrent et qui sortent.

— Vous en avez reconnu?

— C'est mélangé... Des petits commerçants... Des restaurateurs... Des entraîneuses de boîtes de nuit... Des maquereaux...

— J'aimerais voir par moi-même...

Il appela Janvier et lui demanda de préparer une voiture dans la cour.

— Venez avec moi, Monsieur Louis... Vous connaissez mieux ces gens-là que moi...

Rue Ballu, il y avait de petits groupes sur le trottoir comme si l'enterrement avait été pour ce jour-là. La mort dramatique de M. Maurice était, pour tout Montmartre, un événement, et on en parlait à voix basse.

— Entrons...

Ils montèrent au premier étage et le silence régnait dans l'escalier. La porte de l'appartement était entrouverte. Dès le hall, on sentait l'odeur des cierges et des chrysanthèmes. Il y avait des fleurs et des couronnes à ne savoir où les mettre et on n'aurait pas eu besoin de plantes vertes pour que le vaste salon paraisse moins vide.

Line, en grand deuil, près de la porte, inclinait la tête devant chaque visiteur et serrait les mains qui se tendaient. Son visage était figé, impénétrable.

Quand elle reconnut Maigret, elle eut une

moue de mépris, comme pour lui reprocher d'être venu et de ne pas respecter la mort.

— Mes sincères condoléances, balbutia-t-il.

— Je n'ai qu'en faire.

Le cercueil était encore ouvert et on voyait Maurice Marcia, en habit, le visage paisible, avec, semblait-il, un sourire ironique aux lèvres. Le salon, tendu de noir à larmes d'argent, était éclairé par une douzaine de cierges dont l'odeur se répandait dans tout l'immeuble.

Les visiteurs se recueillaient un moment en regardant le mort habillé comme pour une grande cérémonie.

— Vous reconnaissez quelqu'un? chuchota Maigret.

— Un ou deux marlous... Le patron du Sans-Gêne, en compagnie de sa femme qui dirige l'affaire avec lui...

— Vous croyez que cela va durer toute la journée?

— Certainement. Et, demain, l'église Notre-Dame-de-Lorette sera trop petite...

Ils s'attardèrent, parmi d'autres, sur le trottoir d'en face, à regarder entrer et sortir les visiteurs.

— Les voici...

Une Jaguar rouge venait de s'arrêter au coin de la rue et deux hommes encore très jeunes en descendaient. Tous les deux étaient élégants, beaux garçons, et avaient une sorte de défi dans le regard.

Ils étaient connus, ils le savaient. Ils marchaient au milieu de la rue en adressant des saluts discrets à gauche et à droite. Quand l'aîné aperçut Maigret, il eut une seconde d'hésitation puis se dirigea vers lui.

— Vous vous donnez beaucoup de mal, Commissaire, à me faire suivre, ainsi que mon frère... Je pourrais vous économiser ces filatures en vous fournissant mon emploi du temps... Cet après-midi, par exemple, je serai rue du Caire avec Jo, car nous avons un gros arrivage... Demain, après les obsèques, je me rendrai à Bandol...

« Quant à vous, Louis, vous pouvez continuer à fureter dans tous les coins et à écouter les commérages... Marcia valait mieux que ça... »

Apparemment satisfait de lui, il rejoignit son frère et pénétra dans la maison.

— Vous avez pu voir quel genre d'homme c'est, murmura l'inspecteur Louis. Un jeune loup aux dents pointues qui se croit plus intelligent que tout le monde...

— J'aimerais interroger sa concierge...

— Elle n'est de service que de jour... La nuit, c'est son mari qui couche sur le lit de camp dans la loge... Il s'appelle Victor et il est connu dans le quartier... C'est un ivrogne invétéré qui passe ses journées à aller de bistrot en bistrot...

— C'est possible de mettre la main dessus?

— On va essayer... Il faut commencer par le square La Bruyère et par la place Saint-Georges...

Dans chacun des bistrots, l'inspecteur Louis

but un Vichy fraise. Quant à Maigret, il se contenta en tout de deux verres de bière.

— Vous n'avez pas vu Victor?

— Il est passé il y a une demi-heure et il devait commencer sa tournée car il n'était pas encore saoul.

Quand les deux hommes le rejoignirent, dans le sixième bistrot, il commençait sérieusement à l'être.

— Tiens! L'inspecteur Louis... Un quart Vichy pour l'inspecteur!... Et vous, le gros...

C'était une épave comme on peut en rencontrer sous les ponts. Sa chemise était ouverte sur sa poitrine et une de ses poches, décousue, pendait.

— Je parie que c'est moi que vous êtes venu voir... Qui est-ce, ce type-là?... Un toubib?...

— Pourquoi un toubib s'occuperait-il de vous?

— Ce ne serait pas la première fois... Ils essayent de m'enfermer, alors que je suis l'être le plus doux du monde...

Cela le faisait rire.

— C'est le commissaire Maigret...

— J'ai déjà entendu ce nom-là... Qu'est-ce qu'il me veut, le commissaire Maigret?...

— C'est vous qui couchez dans la loge pendant la nuit, n'est-ce pas?

— Depuis que ma femme a été malade et que les médecins lui ont ordonné de se reposer...

— Combien y a-t-il de locataires dans la maison?

— Ça, je ne les ai jamais comptés... A deux appartements par étage et à trois personnes en moyenne par appartement... Comptez vous-même... Il y a longtemps que je suis brouillé avec l'arithmétique...

— Vous connaissez bien Manuel Mori?

— Je pourrais dire que c'est un pote...

— Pourquoi?

— Parce que de temps en temps, quand il rentre, il me refile une bouteille. Les autres ne pensent jamais que je pourrais avoir soif...

— Il a l'habitude de rentrer tard?

— Cela dépend de ce que vous appelez tard... Remets-moi ça, Gaston...

Le gros rouge dégoulina sur son menton qui n'était pas rasé.

— Minuit?

— Quoi, minuit?

— Il rentrait vers minuit?

— Ou vers cinq heures du matin... Cela dépendait des nuits... Quand sa poule venait le voir...

— Vous voulez dire qu'il rentrait avec des femmes?

— Non, Monsieur. Pas avec des femmes. Avec une femme.

— Toujours la même, donc.

— Toujours la même, donc, parfaitement.

— Grande?

— Pas tout à fait aussi grande que lui mais plus grande que moi.

— Mince? Blonde?

— Et pourquoi ne serait-elle pas mince et blonde?

— Elle passait toute la nuit avec lui?

— Pas du tout. Vous n'y êtes pas. Elle ne restait jamais plus d'une heure ou deux...

— Vous savez son nom?

— Je ne suis pas de la police, moi. Et vous, savez-vous seulement mon nom?

— Victor...

— Victor qui? Vous pensez que je n'ai pas un nom de famille comme tout le monde?... Eh bien, je m'appelle Macoulet, comme mon père et ma mère, et je suis né près d'Arras... Qu'est-ce que vous dites de ça?...

— C'est quand il rentrait avec elle qu'il vous refilait une bouteille?

— Tiens! Je n'y avais pas pensé... Cela se pourrait bien... La dernière fois, c'était le cas...

— Quand était la dernière fois?

— Hier?... Non... Avant-hier... Je perds un peu la notion du temps parce que tous les jours et toutes les nuits sont les mêmes... C'est la nuit que les locataires du premier ont donné une partie, comme ils disent... Le plafond tremblait au-dessus de ma tête et on n'arrêtait pas de déboucher du champagne...

— A quel étage habite Manuel Mori?

— Au troisième... Et c'est un bel appartement je vous prie de le croire... Il n'a pas acheté les meubles au rabais, ni dans les grands magasins... Par exemple, la chambre à coucher est entièrement tendue de soie jaune... Qu'est-ce que vous dites de ça?...

— Il est venu en même temps qu'elle?

— Il vient toujours en même temps qu'elle... Je ne sais s'il a peur que quelqu'un la lui chipe...

— Il n'est venu personne, cette nuit-là, alors que Mori et sa compagne étaient en haut?

— Laissez-moi penser... C'est fou comme cela donne soif de penser. Si vous m'offriez une bouteille...

Maigret fit signe au patron en tablier bleu de le servir.

— Moi, vous savez, je ne vois pas les gens qui passent. Ils sonnent à la grande porte sans toujours m'éveiller tout à fait... Ça, il ne faut pas le raconter au gérant de l'immeuble qui est une peau de vache... Bon... Les gens entrent et disent un nom en passant devant la porte vitrée... Cette nuit-là, le type, car il était tout seul, a dit Mori... J'ai pensé :

« — C'est curieux... Il est déjà rentré tout à l'heure avec sa poule...

« Mais il avait pu ressortir pour acheter une bouteille... Ou bien ce n'était pas lui, mais son frère... Car ils sont deux... Vous savez qu'ils sont deux?...

« Il a poussé le bouton de la minuterie et il est monté... »

— Par l'escalier ou par l'ascenseur?

— Ça, je ne sais pas. Je me suis rendormi...

— Vous ne l'avez pas vu ressortir?

— Pour sortir, la porte s'ouvre de l'intérieur...

— Personne n'est sorti bruyamment?

— Que si! La bande qui faisait la bombe au premier... Ils étaient tous ronds... Même les femmes qui glapissaient dans l'escalier...

— Vous vous êtes levé pour les voir?

— Non. J'ai entendu la porte se refermer et je ne m'en suis plus occupé.

— Et la petite amie?

— Quelle petite amie? Vous avez un défaut, Commissaire. Vous parlez de tout le monde en même temps. Est-ce des gens du premier étage ou de Mori que vous parlez?

— De Manuel Mori et de sa maîtresse.

— Bon. C'est déjà plus clair, bien que vous ayez oublié le frère...

— Il est ressorti seul?

— Le frère? Je ne sais même pas si c'était le frère...

— Un autre demi, commanda Maigret dont le front était couvert de sueur. Bon. Disons le visiteur.

— Je ne l'ai pas entendu passer devant la loge quand il est parti.

— Et la poule...

— Si vous la connaissiez, vous ne parleriez pas d'une poule. C'est une vraie dame...

— La dame, alors?

— Elle n'est pas restée plus d'une demi-heure là-haut...

— Vous l'avez vue sortir?

— Non. Encore une fois non. Si je devais me lever pour regarder les gens qui sortent cela ne vaudrait plus la peine d'avoir un lit...

— Ensuite, Mori n'est-il pas descendu avec un lourd paquet?

— Mes excuses. Pas vu. Ni Mori ni le paquet. Mais j'ai entendu l'auto qui démarrait.

— L'auto de Mori?

— Oui. Une petite auto rouge, très puissante, qui fait beaucoup de bruit en démarrant...

— A quelle heure est-il rentré ensuite?

— Je ne sais pas. Mais quand il a dit son nom en passant j'ai commencé à penser qu'ils exagéraient, au troisième...

« Si ce n'était pas pour la bouteille... »

— Il y a eu une seconde bouteille?

— Non. Mais la première, ce n'était pas du gros rouge comme celle-ci. C'était du cognac...

— Merci, Victor, lança Maigret après avoir payé les consommations.

Dans la rue, le commissaire murmura :

— Il semble que votre indicateur...

— Comment, mon indicateur?

— Celui qui vous téléphone de temps en temps pour vous donner des tuyaux...

— Je ne l'ai jamais sollicité... Je ne le connais pas...

— C'est dommage, car il paraît bien renseigné... Après ce que je viens d'entendre, je commence à comprendre qu'il ait peur... Vous croyez que les Mori sont capables de le descendre?

— Ou de le faire descendre. Je les crois capables de tout.

— Je me demande si je ne vais pas demander contre eux un mandat de dépôt au juge d'instruction...

— Contre tous les deux?

— Si le plus jeune est aussi dangereux que Manuel...

— Qu'est-ce que je fais, moi?

— Vous continuez à vous renseigner dans le quartier. Il y règne une effervescence favorable... Les gens doivent parler entre eux, échanger des tuyaux...

— Vous les arrêtez aujourd'hui?

— Je vais d'abord les voir rue du Caire...

Maigret n'en passa pas moins par le cabinet du juge d'instruction. Il s'appelait Bouteille. C'était un homme d'une cinquantaine d'années qui connaissait Maigret depuis longtemps.

— Vous m'apportez déjà l'assassin?

— Pas tout à fait... Mais je commence à avoir une idée plus précise de l'affaire...

Maigret raconta ce qu'il savait. Les deux hommes fumaient la pipe face à face.

Quand le commissaire eut fini, le juge grommela :

— Comme preuves, ce n'est pas lourd...

— J'aimerais, quand j'irai les voir, avoir un mandat d'amener en poche... Et aussi un mandat de perquisition...

— Au nom des deux frères?

— Cela vaut mieux. J'ignore où est la planque de l'indicateur. Jo est, paraît-il, aussi dangereux que Manuel...

Le juge Bouteille se tourna vers son greffier.

— Rédigez donc deux mandats de dépôt au nom des frères Mori, Manuel et Joseph...

Maigret fournit l'adresse de chacun.

Le juge le reconduisit jusqu'à la porte.

— C'est une affaire qui va faire du bruit...

— Elle en fait déjà...

— Je sais... J'ai lu les journaux...

L'un d'eux titrait froidement :

« Maurice Marcia était-il à la tête d'un gang et a-t-il été abattu par un rival? »

Un autre faisait allusion à tous les petits mystères de Pigalle et au rôle de la police qui fermait trop souvent les yeux.

« L'enquête paraît devoir être difficile et on se demande si on saura jamais le fin mot de cette histoire.

« Les obsèques, demain, promettent d'attirer une foule considérable car le patron de la Sardine avait des amis, non seulement dans le quartier, mais un peu partout dans Paris.

« Il est vrai qu'ils ne seront pas tous là.

« Quant au commissaire Maigret, il se refuse à toute déclaration. A l'heure qu'il est, on ne sait même pas s'il ira demain à Bandol.

« Il se contente de répéter :

« — L'enquête continue... »

-:-

C'était en bordure des Halles, où on n'avait

pas encore commencé à démolir les pavillons mais où toute activité avait cessé pour se transporter à Rungis.

La rue du Caire était une des nombreuses rues où l'on trouvait des grossistes, des entrepôts en même temps que des hôtels de passe et des bistrots miteux.

Dans un an, tout cela serait probablement un tas de gravats.

Quand Maigret descendit de son taxi, il aperçut deux inspecteurs qui faisaient les cent pas sur le trottoir. Un instant il se demanda pourquoi ils étaient deux puis il comprit. L'un s'occupait de Manuel Mori et l'autre de son frère Jo.

— Vous savez qu'ils vous ont repérés, mes enfants?

— C'est pour cela qu'on ne se cache pas. L'aîné a marché vers moi, tranquillement, et m'a dit en m'envoyant la fumée de sa cigarette dans la figure, comme au cinéma :

— Pas la peine de jouer à cache-cache, poulet. Je sais que tu es là et je n'essayerai pas de te semer...

L'entrepôt était une longue pièce nue, sans devanture, qu'on devait fermer le soir avec un rideau de fer. Au milieu, on voyait un camion en déchargement. Un des hommes en blouse grise, dans le camion, passait les cageots de fruits à son compagnon qui les attrapait au vol et qui les empilait le long du mur.

Jo Mori, à quelques mètres, les mains dans les poches, la cigarette aux lèvres, assistait au déchargement avec l'air de penser à autre chose. Il ne fronça pas les sourcils en apercevant Maigret, ne fit pas mine de se diriger dans lui.

Dans l'angle droit du dépôt, près de la rue, il y avait un bureau vitré où Manuel, le chapeau repoussé en arrière, compulsait une liasse de factures. Il avait vu le commissaire aussi, sans aucun doute, mais il ne se dérangeait pas.

Maigret poussa la porte, prit la seule chaise libre et s'y assit, puis il commença à bourrer sa pipe.

Ce fut Manuel qui céda le premier et qui murmura :

— Je vous attendais...

Maigret ne dit toujours rien.

— Je viens d'ailleurs de téléphoner à mon avocat. Il trouve aussi que vous parlez trop, vous et l'inspecteur en deuil qui rôde depuis une éternité à Montmartre. Vous posez trop de questions, l'un comme l'autre, à trop de gens...

Maigret allumait sa pipe avec soin sans avoir l'air de s'occuper de son interlocuteur.

— Quelquefois des questions insidieuses peuvent faire autant de tort que des accusations et, dans ce cas-là, cela devient de la diffamation...

« En ce qui nous concerne, mon frère et moi, cela nous est égal, mais vous mettez en cause d'autres personnes. Quant à la Puce, à force de se mêler de ce qui ne le regarde pas il pourrait lui en cuire... »

Et voilà que c'était par un des frères Mori que Maigret obtenait enfin, sans le lui demander, l'identité de l'homme qui lui avait téléphoné la veille et qui téléphonait plus ou moins régulièrement des renseignements à l'inspecteur Louis.

— Où étiez-vous avant-hier à minuit et demi?

— Chez moi.

— Non. Vous y étiez encore une demi-heure plus tôt et vous n'y étiez pas seul.

— C'est mon droit de recevoir qui je veux.

— Mais pas d'abattre les gens qui vont chez vous.

— Je n'ai abattu personne.

— Et je suis persuadé que vous ne possédez aucune arme à feu, pas même un revolver 32.

— Qu'est-ce que j'en ferais?

— Cette nuit-là, vous en avez trouvé l'emploi. Il est vrai que vous pourrez toujours plaider la légitime défense...

— Je n'ai à me défendre de personne...

— J'aimerais visiter votre appartement.

— Allez demander un mandat au juge d'instruction.

Maigret le sortit de sa poche et le tendit à Manuel en même temps que les deux mandats de dépôt.

Il était clair que Mori ne s'y attendait pas et il marqua le coup, sursauta, laissa tomber la cendre de sa cigarette sur son veston.

— Qu'est-ce que cela signifie?

— Ce que ces papiers signifient habituellement.

— Vous allez m'emmener?

— Je n'en sais encore rien. C'est probable. Vous refusez toujours que je visite votre appartement?

Il se leva, essayant de retrouver son arrogance. Il entrouvrit la porte.

— Dis donc, Jo. Viens un instant ici...

Son frère avait tombé la veste et retroussé les manches de sa chemise blanche.

— Tu connais la couleur de ces papiers-là, non? Il y en un pour toi, un pour moi et un autre pour nous deux, le mandat de perquisition. Tu n'as pas de cadavre caché dans ton placard?

Le plus jeune des Mori ne plaisantait pas mais lisait attentivement les mandats.

— Et après? demanda-t-il.

On ne savait pas s'il s'adressait à son frère ou à Maigret.

— Après que j'aurai fini avec votre frère, je passerai à votre hôtel où vous allez m'attendre...

— Vous avez une voiture? questionna Manuel.

— Un taxi.

— Vous ne préférez pas que je vous emmène?

— Non. Mais je vous prie de suivre mon taxi sans essayer de le dépasser.

Maigret embarqua au passage celui des inspecteurs qui était chargé de Manuel.

— Où allons-nous?

— Chez lui, square La Bruyère.

— Il nous suit.

— C'est bien ce que je lui ai demandé de faire.

C'était à deux pas de la rue Fontaine. L'appartement des Marcia, rue Ballu, était à deux pas du restaurant. Jo, lui, habitait l'Hôtel des Iles, avenue Trudaine, qui n'était qu'à cinq minutes.

— C'est demain qu'on l'enterre, n'est-ce pas?

— C'est demain les obsèques, mais ensuite on le transporte à Bandol, où il sera inhumé.

L'immeuble de six étages était moderne, cossu.

— Qu'est-ce que je fais? Je monte avec vous?

— Je préfère que vous restiez en bas...

La Jaguar rouge s'arrêtait derrière le taxi.

— Je vous montre le chemin...

Ils passèrent devant la loge dont le rideau bougea.

— C'est au troisième...

— Je sais...

— Cela ne vous gêne pas de prendre l'ascenseur avec moi?

— Pas du tout.

— Vous pourriez avoir peur. Je suis plus jeune et plus fort que vous.

Maigret se contenta de le regarder comme on regarde un enfant qui se vante.

Manuel tira une clef de sa poche, ouvrit la porte et fit passer le commissaire devant lui.

— Vous voyez, il n'y a pas de domestique. Une brave femme vient chaque jour faire le ménage mais, comme à cette heure-ci il m'arrive souvent de dormir, elle ne vient que l'après-midi.

Le salon n'était pas grand, surtout en comparaison avec celui de la rue Ballu, mais il était meublé d'une façon aussi précieuse. Il donnait sur une salle à manger où une nature morte de Chardin, représentant des faisans dans un panier, semblait authentique à Maigret.

— Chardin?

— Je crois.

— Vous aimez la peinture?

— Je l'apprécie assez. Ce n'est pas parce qu'on vend des tomates et des fruits qu'on est insensible aux beaux-arts...

Sa voix était railleuse. Dans la chambre, le lit était défait. Cette chambre était la seule pièce moderne, très claire, très gaie. Elle donnait sur une salle de bains assez vaste pour qu'un punching-ball se dresse au milieu.

— Fin de la visite. Vous avez tout vu.

— Pas encore. Il manque quelque chose dans la chambre à coucher.

— Quoi?

— Au milieu de la pièce il y avait un tapis de petite dimension qui a laissé une tache plus claire sur la moquette.

Maigret se pencha.

— En outre, on trouve encore dans les poils de celle-ci des fils de couleur qui appartiennent probablement au tapis disparu.

— Cherchez-le.

— Je ne me donnerai pas ce ridicule. Vous permettez?

Il décrocha le téléphone et demanda la P.J., puis le laboratoire.

— C'est vous, Moers? Ici, Maigret. Je voudrais que vous veniez avec deux ou trois hommes square La Bruyère... Vous trouverez un de nos inspecteurs à la porte... Montez au troisième... Ce que je cherche?... N'importe quoi...

Cette fois, Manuel avait perdu sa morgue.

— Ils vont venir tout bousculer dans l'appartement.

— C'est assez probable...

— Je peux déjà vous dire que ce tapis dont vous parlez n'a jamais existé...

— Alors, nous saurons à quoi ont appartenu ces brins de couleur...

— C'est une amie dont le manteau...

— Non. Mme Marcia, Line, si vous préférez, est une femme de goût qui ne porterait pas un manteau mêlant le vert au rouge et au jaune...

— Mon avocat a le droit d'assister à la perquisition, je suppose?

— En ce qui me concerne, je n'y vois aucun inconvénient.

Ce fut au tour de Manuel de téléphoner.

— Allô!... Je pourrais dire un mot à maître Garcin, s'il vous plaît?... Ici, Manuel Mori... C'est très urgent...

Il devint fébrile.

— Garcin?... Dites, mon vieux, je vous

appelle de chez moi... Le commissaire est muni d'un mandat de perquisition... Il a découvert sur la moquette des fils qui ne lui plaisent pas... Du coup, il a appelé les gens de l'identité judiciaire... Vous ne voudriez pas venir?...

« ... Vous dites?... Je suis obligé de les laisser fouiller les meubles et les tiroirs?... Ce n'est pas tout... Il a un mandat de dépôt au nom de mon frère et un autre à mon nom...

« ... Non... Il m'a dit qu'il ne savait pas encore s'il s'en servirait... Ecoutez... Si je ne vous ai pas appelé, mettons avant quatre heures de l'après-midi, faites tout ce qu'il y a à faire pour qu'on nous relâche... Je n'ai pas envie de passer la nuit à la Souricière... Sans compter que c'est demain les obsèques et que je comptais me rendre ensuite à Bandol pour l'inhumation...

« ... Elle va bien, oui... Merci, vieux... A tout à l'heure... »

Sa conversation avec l'avocat l'avait un peu remonté.

Il fut surpris d'entendre Maigret lui dire :

— Si vous m'aviez dit que vous alliez à Bandol...

— Quelle différence cela aurait-il fait?

— Je ne me serais pas préoccupé des mandats dès maintenant. Je ne pensais pas à Line, qui aura sans doute besoin de vous.

— Qu'est-ce que vous insinuez...

— Ce que tout le monde sait dans le quartier de Pigalle... Vous n'avez plus deux ou trois petites amies par semaine comme auparavant...

— Ma vie privée me regarde...

— Vous avez le droit de coucher avec la femme d'un ami, c'est vrai, mais pas de lui tirer une balle en pleine poitrine...

On sonnait. Moers était accompagné de deux hommes portant des petites mallettes.

— Par ici... C'est dans la chambre à coucher... Inutile de vous demander ce qu'il y avait sur cette tache plus claire...

— Un tapis, bien entendu...

— Des fils en sont restés sur la moquette... Je voudrais qu'on les recueille et qu'on les étudie... D'une façon générale, tout l'appartement a besoin d'un bon examen... Cela m'intéresserait de trouver des plans de maisons ou de châteaux, par exemple, ou de la correspondance avec des antiquaires étrangers ou avec des marchands de tableaux...

Cette fois, Mori était stupéfait et ne cherchait pas à le cacher.

— Qu'est-ce que c'est, cette nouvelle histoire?

— Ce n'est encore rien, qu'une idée en l'air, mais cela deviendra peut-être quelque chose...

— Je vous laisse travailler, Moers. J'ai une autre démarche à faire... Là aussi, j'aurai peut-être besoin de vous...

Et, se tournant vers Manuel :

— Je vous laisse aussi. Jusqu'à nouvel ordre, vous êtes en liberté, mais il vous est interdit de quitter la ville...

— Et Bandol?

— Je vous dirai cela demain matin...

— Je peux téléphoner à Line?

— Vous y venez...

Manuel haussa les épaules.

— Au point où vous en êtes, ce n'est pas la peine de nier. D'autant plus que nous n'avons rien fait de mal...

— Je vous le souhaite...

Quelques minutes plus tard Maigret pénétrait à l'Hôtel des Iles qui n'était pas un établissement de luxe mais qui était confortable, d'une propreté assez rare, et habité probablement par des habitués. Il s'adressa au bureau.

— Jo Mori, s'il vous plaît?

La jeune fille, de l'autre côté du comptoir, le regardait en souriant.

— Deuxième étage. Le 22, Monsieur Maigret...

— Il vous a dit qu'il m'attendait?

— Non. Il m'a dit qu'il attendait quelqu'un. Mais je vous ai reconnu dès que vous avez franchi la porte...

Maigret prit l'ascenseur, frappa au 22, et on lui ouvrit aussitôt la porte. C'était Jo qui avait quitté la rue du Caire afin d'être chez lui quand le commissaire arriverait.

— Qu'est-ce que vous avez fait de mon frère?

— Je l'ai laissé chez lui. Avec, il est vrai, des spécialistes de l'identité judiciaire qui procèdent à un examen minutieux des lieux...

— Vous ne l'avez pas arrêté?

— Line aura besoin de lui, demain... Il doit aller à Bandol... Et vous?

— Je ne comptais pas y aller... De quelle Line parlez-vous?...

— Laissez tomber... C'est déjà dépassé... Votre frère a admis qu'il est son amant...

— Je ne vous crois pas.

Ils étaient dans un petit salon gris perle qui faisait un peu vieux jeu mais qui n'en était pas moins plaisant. Jo, après avoir hésité, tendait la main vers l'appareil et formait le numéro de son frère.

Maigret, les mains derrière le dos, regardait autour de lui, ouvrait une porte à tout hasard et se trouvait face à face avec une jeune femme qui n'avait sur le corps qu'un peignoir entrouvert.

— Vous êtes la maîtresse de Jo, je suppose? La question est ridicule puisque je vous trouve dans sa chambre, non loin du lit défait, avec certains de vos vêtements sur un fauteuil.

— Il y a du mal à ça?

— Pas du tout. Quel âge avez-vous?

— Vingt-deux ans...

Il entendait la voix de Jo derrière lui.

— Il est déjà avec elle... Je n'ai pas eu le temps... Mais toi?... C'est vrai qu'il te laisse aller à Bandol et que tu lui as parlé de Line?... Tu aurais bien fait de me prévenir...

« Je ne sais pas... Il est en train de bavarder avec elle dans la chambre à coucher... Tu la connais... Elle pourrait parler pendant des heures mais je n'ai malheureusement pas trouvé de sourde-muette qui me convienne... »

Il ne tarda pas à raccrocher et sa silhouette s'encadra dans l'entrée de la chambre à coucher.

La jeune fille disait :

— On m'appelle Marcelle... Marcelle Vanier... Je suis de Béziers mais je suis venue à Paris dès que j'ai pu...

— Depuis combien de temps êtes-vous avec Jo?

— Un mois, et je ne me fais pas d'illusions. Je doute que j'en aie pour un autre mois...

— Ferme ton peignoir... fit la voix sèche du jeune homme.

Et, se tournant vers Maigret :

— Si vous me disiez ce que vous cherchez au juste, nous gagnerions peut-être du temps... Vous savez que j'ai un camion en déchargement et qu'ensuite il faudra livrer la marchandise...

Comme s'il n'avait pas entendu, le commissaire continuait à s'adresser à Marcelle :

— Où étiez-vous l'avant-dernière nuit?

— A partir de quelle heure?

— De onze heures du soir...

— Nous sommes allés au cinéma, Jo et moi... Nous sommes rentrés tout de suite, car il était fatigué...

— A quelle heure a-t-il reçu un coup de téléphone?

Elle ouvrit la bouche, la referma, regarda Mori d'un air interrogateur.

— Il n'y a pas de mal à ça, fit celui-ci. C'est mon frère qui m'a appelé pour me dire qu'il avait l'intention, dans les jours suivants, de faire une virée en province...

— A Bandol? demanda le commissaire narquois.

— A Bandol ou ailleurs. Il ne me l'a pas dit.

— S'il a parlé de Bandol, c'était une prémonition, car Maurice Marcia n'était pas encore mort...

— Est-ce que je sais, moi?

— C'était hier dans tous les journaux, avec l'heure du décès... Minuit trente environ...

— C'est possible et cela ne m'intéresse pas...

— Vous n'avez pas de tableaux, ici?

— Quels tableaux?

— Je ne sais pas. Il y a beaucoup d'amateurs de peinture dans cette affaire...

— Ce n'est pas mon cas.

— Et les meubles sont d'honnêtes meubles d'hôtel.

— Qu'est-ce qu'ils seraient d'autre?

— C'est ici que vous conservez les factures et les papiers d'affaires?

— C'est rue du Caire, au bureau, naturellement.

— Vous travaillez, Mademoiselle Marcelle?

— Pas pour le moment.

— Qu'est-ce que vous faisiez avant de rencontrer ce garçon?

— J'étais barmaid dans un bar de la rue de Ponthieu... J'ai peut-être eu tort de quitter ma place...

— Je le crois aussi.

— Qu'est-ce que vous me conseillez?

— Dites donc, vous, intervint Jo, les poings serrés.

— Doucement, mon petit... Je ne vous embarque pas aujourd'hui. Profitez encore de la vie. Mais qu'il ne vous prenne pas la fantaisie de quitter Paris...

« Ah! Une recommandation encore : ne touchez pas à un cheveu de la Puce, si vous le rencontrez... Cela pourrait vous coûter très cher... »

Et Maigret descendit l'escalier tout en bourrant sa pipe. Il avait oublié la jeune fille de la réception et il fut surpris quand une voix jeune et gaie lui lança :

— Au revoir, Monsieur Maigret.

CHAPITRE

4

ARRIVE QUAI DES Orfèvres, Maigret appela tout de suite Janvier dans son bureau.

— Rien de nouveau au sujet de l'affaire Marcia?

— Seulement un coup de téléphone de l'inspecteur Louis, qui aimerait bien vous parler.

— Il est à son bureau?

— Non. Il sera à midi et demi au restaurant du Rhône, boulevard de Clichy.

— Tu déjeunes avec moi?

— Volontiers. De toute façon, aujourd'hui, ma femme est chez sa mère et j'aurais mangé au restaurant.

Le commissaire appela Mme Maigret.

— J'ai beaucoup de travail et je ne rentrerai pas déjeuner...

Elle le savait d'avance. Chaque fois qu'une enquête en arrivait à un certain point, il éprouvait le besoin de faire en quelque sorte l'école buissonnière, c'est-à-dire de déjeuner avec un de ses collaborateurs à la brasserie Dauphine.

C'était une façon de rester dans le bain. Les deux hommes allèrent tranquillement à pied jusqu'à la brasserie et s'arrêtèrent devant le zinc où il y avait déjà plusieurs des hommes du quai des Orfèvres.

— Pour changer, grommela Maigret, je prendrai un petit pastis...

Cela lui arrivait rarement. Depuis que son vieil ami Pardon l'avait mis en garde, il buvait beaucoup moins qu'autrefois et il lui arrivait de garder longtemps une pipe éteinte à la bouche.

— Tu ne sais pas ce que Louis me veut?

— Vous savez, il prend toujours des airs mystérieux...

— C'est un homme étonnant, mais il ne pourrait pas entrer dans la brigade. Il a besoin de travailler seul...

Le patron vint leur serrer la main. Petit à petit, il était devenu complètement chauve et, comme cela avait pris des années, on ne s'en apercevait pas.

— Qu'est-ce qu'il y a à déjeuner?

— De l'andouillette... Mais si vous préférez un steak...

— Andouillette, trancha Maigret.

— Moi aussi, fit Janvier en écho.

Ils pénétrèrent dans la salle de restaurant où il n'y avait que quatre tables occupées, dont deux par des avocats. On était entre soi. Maigret avait son coin, près de la fenêtre, d'où il apercevait la Seine et les bateaux qui passaient. De son bureau aussi il voyait passer les bateaux et cela durait depuis plus de trente ans. Or, il ne s'en lassait pas.

— Tu serais gentil, en rentrant au Quai, de téléphoner à Orly. Je voudrais demain une place dans un avion pour Marseille. De préférence dans le milieu de la journée.

— Vous allez à Bandol?

— Oui. Officieusement, bien entendu, étant donné que c'est en dehors de notre juridiction.

— Il y a certainement un appareil d'Air Inter...

— Il est midi et demi. Veux-tu passer un coup de fil à l'inspecteur Louis pour lui demander de venir à mon bureau dès qu'il aura déjeuné?

A une heure et quart, déjà, le Veuf était assis en face du commissaire et le feuillage des arbres bruissait de l'autre côté de la fenêtre ouverte. Maigret avait tombé la veste. Louis était toujours en noir, y compris la cravate.

— J'ai reçu ce matin un coup de téléphone de l'amie de mon correspondant anonyme...

Maigret ne put s'empêcher de sourire.

— Elle ne m'a pas dit son nom... Elle est inquiète parce que son ami n'a pas donné signe de vie depuis quarante-huit heures...

Maigret attendait placidement la suite.

— Un autre bruit, plus vague... Trois ou quatre truands, au moins, ont soudain éprouvé le besoin de quitter Montmartre et, comme par hasard, ce sont des amis des frères Mori...

— J'ai une nouvelle à vous communiquer, moi aussi, Inspecteur. Je sais qui est votre correspondant anonyme...

Le visage de Louis devint tout rouge. Cela lui paraissait impossible que le commissaire réussisse en vingt-quatre heures une identification qu'il n'avait pu effectuer au cours des années.

— Qui est-ce?

— Vous connaissez la Puce?

— Tout le monde le connaît à Montmartre...

— C'est lui... Je le tiens de Manuel Mori lui-même, qui s'est coupé ou qui a cru que j'étais au courant...

Maigret connaissait depuis près de trente ans celui qu'on appelait la Puce parce qu'il mesurait à peine un mètre cinquante. En outre il était maigre, avec un visage étrange où la bouche occupait presque toute la place. Et cette bouche, comme en caoutchouc, pouvait prendre instantanément toutes les expressions possibles.

Il avait travaillé comme chasseur au Rat de Cave, un cabaret alors très élégant de la place Pigalle où la plupart des clients étaient en smoking. Il portait l'uniforme rouge à veste courte, une casquette galonnée, et il se tenait à la porte, prêt à porter n'importe où les messages des clients.

Le Rat de Cave avait disparu. La Puce, dont le vrai nom était Justin Crotton, avait travaillé plusieurs années dans la brasserie de la rue Victor-Massé que fréquentaient les caïds du Milieu.

Il était toujours aussi maigre, aussi agile, capable de se faufiler n'importe où, mais son visage s'était ridé. De loin, il avait l'air d'un gamin. De près il portait bien ses quarante-cinq ou quarante-six ans.

— Et moi qui n'ai pas reconnu sa voix, se lamentait Louis.

— Il devait la changer dans la mesure du possible.

— Pas tellement. Maintenant que vous m'en avez parlé, cela me revient. Je suis impardonnable de ne pas avoir pensé à lui.

— De quoi vivait-il, ces derniers temps?

— Il était avec une entraîneuse du Canari, rue Pigalle, qui habite rue Fromentin...

— Souteneur?

— Plus ou moins. Je ne sais pas. C'est assez curieux, pour une belle fille, de se mettre en ménage avec cet avorton... Il est né à Paris, boulevard de la Chapelle, et je n'ai pas besoin de vous dire quel métier exerçait sa mère. Elle l'a envoyé chez une de ses sœurs, à Saint-Mesmin-le-Vieux, en Vendée; dès l'âge de quatorze ans, il revenait à Paris et se débrouillait...

— Il est en danger, dit Maigret avec gravité.

— Vous croyez que les Mori oseraient...

— Eux-mêmes resteraient hors du coup... Ils ont assez de tueurs pour supprimer un témoin gênant...

L'inspecteur Louis n'en revenait toujours pas.

— La Puce!... Et personne ne se méfiait de lui... On le considérait comme un être inoffensif, pas tout à fait comme un homme, une sorte de gamin dont le visage se serait ridé... Il fréquentait les mauvais garçons qui ne se gênaient pas pour parler devant lui...

« Je crois que son rêve était d'être admis parmi eux... Je ne serais pas surpris qu'on ne se soit servi de lui à l'occasion pour faire le guet... »

— Comment s'appelle son amie?

— Blanche Pigoud... 28 rue Fromentin... C'est à deux pas du boulevard Clichy où je viens de déjeuner...

— Vous la connaissez?

— De vue, car je n'ai jamais rien eu à lui reprocher...

— Elle doit se coucher au petit matin. Nous avons des chances de la trouver chez elle...

— A moins que ce soit son jour de coiffeur... Ces filles-là ne se lèvent de bonne heure que pour aller chez le coiffeur...

Maigret appela Janvier.

— Tu veux venir avec nous? Nous allons à Montmartre, une fois de plus.

— Je prends une voiture?

— Bien entendu...

Ils partirent tous les trois. La journée était radieuse, un peu trop chaude pour le mois de mai, et on s'attendait à des orages.

La rue Fromentin était paisible. Le 28 était

un immeuble relativement récent, rassurant.

— Nous montons tous les trois?

— Je vais d'abord monter seul pour ne pas l'impressionner. Et encore. Il vaut mieux que l'inspecteur Louis m'accompagne, puisque c'est à lui qu'elle a téléphoné...

— Deuxième étage sur la rue, leur dit la concierge.

Dans la cage d'escalier flottaient des odeurs de cuisine et on entendait un bébé qui pleurait quelque part. Maigret poussa le bouton de sonnerie. Il fallut très longtemps pour qu'une jeune femme plutôt boulotte, nue sous un peignoir léger, leur entrouvre la porte.

Elle reconnut l'inspecteur Louis.

— Vous l'avez retrouvé?

— Pas encore, mais le commissaire Maigret aimerait vous parler...

— Vous voyez comme je suis... Je dormais... je ne me suis même pas donné un coup de peigne...

— Nous vous en laisserons le temps, répliqua Maigret, bonhomme.

La fille avait un visage ouvert, voire un peu naïf. Elle devait avoir dans les vingt-cinq ans et la vie qu'elle menait ne lui avait pas encore enlevé sa fraîcheur.

— Entrez. Installez-vous... Je viens tout de suite...

Elle entra dans une chambre sur laquelle devait donner la salle de bains.

Si le commissaire n'avait pas eu l'habitude de certaines femmes que les bourgeoises regardent dédaigneusement, il aurait été surpris du décor qui les entourait.

Le living-room était meublé confortablement; on aurait trouvé les mêmes meubles, dits modernes, dans la moitié des appartements de Paris. Ils étaient cirés avec soin, ainsi que le parquet. Il régnait d'ailleurs une légère odeur d'encaustique.

Poussant une porte, Maigret découvrit une cuisine immaculée où on n'apercevait aucun désordre.

— Vous désirez une tasse de café? questionna la jeune femme en apparaissant, toujours nue sous son peignoir, mais le visage rafraîchi, avec un léger maquillage.

— Non, merci.

— Vous permettez que je m'en prépare un? Dans mon métier, on ne peut pas toujours refuser un verre. Quand il le peut, Bob me sert du thé froid en guise de whisky mais, avec certains clients, ce n'est pas possible... Si vous en avez envie, il y a de la bière dans le Frigidaire... Justin adore la bière et il espère toujours qu'elle le fera grossir... Savez-vous qu'il ne pèse même pas quarante-deux kilos?...

« Il a failli devenir jockey, mais son apprentissage n'a duré que deux jours parce qu'il avait peur des chevaux... »

— Il n'a pas peur des durs de Pigalle...

Elle avait mis en marche une cafetière électrique. La cuisine était munie des appareils les plus modernes.

— Vous ne m'avez pas répondu, pour la bière...

— J'en prendrai volontiers un verre.

— Votre inspecteur, lui, ne boit que du Vichy et je n'en ai pas ici.

— Comment savez-vous qu'il ne boit que du Vichy?

— Il vient de temps en temps au Canari... Il fait le tour de toutes les boîtes... Il s'assied dans un coin du bar et il écoute... Il en sait beaucoup plus qu'il n'en a l'air...

— Vous étiez au courant des coups de téléphone de la Puce?

— Pas exactement...

Elle emportait son café dans le living-room et Maigret la suivait avec son verre de bière.

— C'est un drôle de garçon, l'inspecteur Louis pourra vous le dire... N'est-ce pas, Inspecteur?

— Je me suis toujours demandé pourquoi vous vous étiez mise en ménage avec lui...

— D'abord, parce que je ne peux pas blairer la plupart des maquereaux... Au fond, j'étais née pour être une bonne petite bourgeoise et je ne suis jamais aussi heureuse que quand je fais le ménage...

Ils étaient assis tous les trois dans des fauteuils.

— Dans mon métier, on a quand même besoin d'un homme...

— Même si, comme Justin Crotton, c'est un avorton?

— Ne croyez pas ça... Par certains côtés, il

est resté assez enfant, mais il a beaucoup plus de jugeote qu'il n'en a l'air...

Elle ne se préoccupait pas de son peignoir qui s'entrouvrait largement. Elle avait la peau très claire, très douce sans doute.

— Son rêve a toujours été de devenir un mauvais garçon véritable; pour commencer, comme la plupart, il voulait être souteneur...

— C'est ce qu'il est à présent?

— Je le lui laisse croire... Cela lui permet de se prendre au sérieux... Il continue, comme quand il était chasseur, à rendre des services à gauche et à droite... De temps en temps, il prend, même avec moi, des airs mystérieux et il se contente de me dire :

« — Ne t'étonne pas si je reste une nuit ou deux sans venir... Nous avons préparé un coup fumant... »

— C'était vrai?

— C'était vrai qu'un coup se préparait par une bande ou par une autre mais il n'en était pas... Ce que j'ignorais, c'est qu'il téléphonait à l'inspecteur les renseignements qu'il récoltait... Cela aussi lui donnait de l'importance à ses yeux...

— Que s'est-il passé ces deux derniers jours? Est-ce qu'il vous en a parlé?

— Pas exactement. Un matin, il est rentré surexcité.

« — Il y a eu du pétard, cette nuit, quelque chose qui va être à la une de tous les journaux et qui fera du bruit...

« — Un cambriolage?

« — Plus grave que ça... Un meurtre... Et la victime est un des personnages les plus connus du quartier...

« — Tu ne peux pas me dire le nom?

« — Ce sera tout à l'heure dans les journaux. Il s'agit de M. Maurice...

« — Le patron de la Sardine?

« — Oui... Et je suis le seul, en dehors du meurtrier et de sa maîtresse, à savoir qui a fait le coup...

« — J'aime mieux ne pas savoir qui c'est... »

Elle prit une nouvelle cigarette, car elle en avait déjà allumé une en sortant de la salle de bains.

— Je lui ai demandé ce qu'il allait faire. Il m'a répondu :

« — Ne t'inquiète pas pour moi...

« — Tu ne vas pas faire chanter le type, au moins?

« — Tu sais bien que ce n'est pas mon genre.

« — Il ignore que tu es au courant?

« — S'il le savait, je ne ferais pas de vieux os... »

Elle se taisait un moment, soufflant la fumée devant elle.

« — C'était un peu le grand jour de sa vie.

« — Si tu savais de qui il s'agit... Un des plus grands caïds de Montmartre... Quant à sa maîtresse...

« — Ne me dis rien...

« — Entendu... Tu apprendras la vérité par

les journaux... Si les journaux osent la publier...

« Il est sorti, dès le matin, et depuis lors je ne l'ai pas revu. Le soir, au Canari, on m'a regardée d'une drôle de façon, et deux hommes que je ne connais pas ne m'ont pas quittée de l'œil.

« Je suis restée au bar, comme toujours. J'ai été rejointe par un client de province qui ne manque jamais de me voir quand il est à Paris... Nous sommes allés à l'hôtel et, quand nous en sommes sortis, un des deux hommes faisait les cent pas sur le trottoir...

« D'abord, j'ai eu peur pour la Puce... Tout le monde l'appelle comme ça et je finis par le faire, moi aussi... D'ailleurs, il en est assez fier... C'est une sorte de célébrité... Il se complaît aussi à faire des grimaces, pour amuser les gens... »

— Il m'a téléphoné, prononça l'inspecteur Louis d'une voix neutre.

— C'est ce que j'ai pensé... Cela explique ses airs mystérieux, et ce qu'il m'a dit en s'en allant... Est-ce qu'il court vraiment un danger?

Ce fut Maigret qui répondit.

— Cela ne fait aucun doute. Le meurtrier de M. Maurice sait que c'est la Puce qui l'a donné...

— Et moi? Vous croyez qu'ils ne s'en prendront pas à moi?

— Est-ce que vous continuez à être suivie?

— La nuit dernière, un des deux hommes

était encore au Canari. On l'a appelé au téléphone et il est parti ensuite non sans m'avoir regardée d'un drôle d'air...

— Si je ne me trompe, ils sont en train de s'éparpiller dans toute la France...

— Et les frères Mori?

— Qui vous en a parlé?

Car il n'avait pas été fait mention d'eux dans les journaux ni à la radio.

— Tout le monde en parle dans le quartier. Ils sont partis, eux aussi?

— Non. Mais nous les tenons tous les deux à l'œil.

— Vous croyez que ce sont eux?...

— Je ne peux pas répondre à cette question. A quelle heure sortez-vous d'habitude de la maison?

— Vers deux ou trois heures, je vais faire mon marché dans le quartier, car j'aime faire la cuisine... Vers dix heures du soir, je me harnache pour le boulot et je me rends au Canari... Je prends ma place au bar et j'attends... Parfois l'attente dure deux heures, parfois seulement quelques minutes et enfin cela m'arrive d'attendre jusqu'à la fermeture.

— Dans une heure, il y aura un policier en civil dans la rue... Ne vous étonnez pas d'être suivie... Il fera l'impossible pour vous protéger...

— Est-ce que je dois aller aux obsèques, demain? Tout le monde y va...

— Allez-y. J'y serai aussi... Ainsi que votre ange gardien...

— Cela me rappelle mon catéchisme...

Les deux hommes se levèrent.

— Si vous apprenez quoi que ce soit, téléphonez à la P.J. Demandez à me parler, à moi ou à un de mes hommes de la Criminelle. L'inspecteur Louis, lui, est rarement à son bureau.

— Je vous remercie, Monsieur le Commissaire... Au revoir, Inspecteur... Si vous aviez des nouvelles de Justin...

— J'espère que nous n'en aurons pas. Il a senti le danger et il s'est planqué... Il n'a pas besoin d'aller loin, car il connaît Montmartre comme ses poches et il y a des endroits où un garçon comme lui peut vivre des semaines sans être repéré...

— Souhaitons-le, soupira-t-elle en touchant le bois de la table.

Ils retrouvèrent Janvier dehors.

— Alors?

— Elle a peur, bien entendu, et je ne peux pas lui donner tort. Peur pour la Puce et peur pour elle-même... Je lui ai promis que dans une heure il y aurait un homme de la brigade devant la maison et qu'elle serait suivie partout où elle irait... N'oublie pas de faire le nécessaire quand nous arriverons au Quai... Quelqu'un qui peut entrer dans une boîte de nuit assez élégante sans se faire remarquer...

Maigret se retourna vers Louis.

— En attendant, prenez donc la planque... Dès que notre inspecteur arrivera, vous reprendrez votre liberté...

— Bien, Monsieur le Divisionnaire...

Une fois au volant de la voiture, Janvier questionna :

— Comment est-elle?

— Très bien... Si les choses avaient tourné autrement pour elle, sans doute quand elle avait dix-sept ou dix-huit ans, elle aurait fait une épouse et une ménagère de premier ordre...

— Elle savait?

— Au sujet des coups de téléphone de la Puce? Elle ne l'a soupçonné que voilà deux jours... C'est extraordinaire... Ce freluquet à visage de clown a pu, pendant des années, être un des indicateurs de l'inspecteur Louis sans que personne le soupçonne... Il devait se délecter de ce rôle qui lui donnait confiance en lui... Quand on arrêtait tel ou tel malfrat, il pouvait se dire :

« — Grâce à moi. ».

Et c'était vrai!

-:-

Dans le courant de l'après-midi, Maigret monta sous les combles du Palais de Justice où se trouvait l'empire de Moers : le laboratoire de l'identité judiciaire.

On avait besoin des spécialistes dans neuf affaires sur dix, ne fût-ce que pour des questions d'empreintes digitales, et pourtant ils n'étaient même pas une douzaine, en blouse blanche, à travailler dans les pièces au plafond en pente.

— Je suppose qu'il est encore trop tôt pour avoir du nouveau?

Moers était un homme modeste, maigrichon, dont le complet avait toujours besoin d'un coup de fer. Il y avait si longtemps qu'il appartenait au Quai qu'on avait de la peine à imaginer l'identité judiciaire sans lui. Il était toujours prêt à travailler, à n'importe quelle heure du jour ou de la nuit. Il est vrai qu'il était célibataire et que personne ne l'attendait dans son logement d'étudiant du Quartier Latin.

— Un fait est déjà acquis, répliqua-t-il de sa voix toujours un peu monotone. On a tout récemment, hier après-midi sans doute, astiqué tous les meubles, nettoyé les boutons de portes, les cendriers, les moindres objets pour en effacer les empreintes digitales.

« Les seules que nous ayons relevées sont celles du locataire, Manuel Mori, dont j'ai retrouvé la fiche aux Sommiers, et celles de la femme de ménage qui, la concierge me l'a confirmé, est allée square La Bruyère hier après-midi... J'oublie d'autres empreintes, les vôtres... »

— Pas une seule empreinte oubliée?

— Pas une, patron. On dirait presque du travail de professionnel...

— C'est du travail de professionnel... De quand date la fiche que vous avez trouvée aux Sommiers?

— D'il y a quatorze ans...

— Cambriolage?

— Pendant les vacances, dans un hôtel particulier de l'avenue Hoche...

— A combien a-t-il été condamné?

— Il n'avait que dix-huit ans et son casier judiciaire était vierge. En outre, on a considéré qu'il n'était qu'un comparse, car le coup avait été réalisé par cinq hommes...

— Cela me rappelle vaguement quelque chose, mais je ne m'en suis pas occupé personnellement.

— Il a fait un an de prison...

— Y a-t-il la moindre indication qu'une femme soit venue assez régulièrement dans l'appartement, y compris dans la chambre à coucher?

— Les placards ont été passés au peigne fin, si je puis dire. Pas trace de poudre de riz, nulle part, de crème de beauté, pas un cheveu féminin...

— Et la moquette?

— Dorin est sans doute un des meilleurs spécialistes du monde des fibres végétales ou animales. C'est son dada. Il a passé plus d'une heure à étudier la moquette à la loupe et il a récolté une trentaine de bouts de fil à peine visibles... Il a travaillé dessus pendant des heures... Quand je dis des fils, il s'agit de fils de soie... Ils sont très anciens, trois cents ans au minimum, et Dorin jurerait qu'ils proviennent d'un tapis chinois...

« Il continue à analyser sa trouvaille, car il tient à arriver à une précision absolue... »

Maigret aimait l'atmosphère de ces pièces

mansardées où on travaillait loin du public, dans une ambiance paisible.

Chacun savait ce qu'il avait à faire. Près d'une des lucarnes se dressait le mannequin articulé qui servait si souvent dans les reconstitutions. A découvrir, par exemple, dans quelle pose un homme se trouvait pour être frappé par un couteau de telle façon, ou pour qu'une balle ait suivi une telle trajectoire.

— S'il y a du nouveau demain, passez-le à Janvier. Moi, je serai à Bandol...

Moers n'était pas l'homme à prendre des vacances sur la Côte d'Azur et pour lui Bandol devait être comme une image de rêve.

— Vous aurez chaud... se contenta-t-il de murmurer.

Quand Maigret, en dînant, annonça à sa femme qu'il irait le lendemain à Bandol, elle sourit et lui dit :

— Je le savais...

— Comment?

— Parce que la radio a annoncé tout à l'heure que, si les obsèques ont lieu demain matin à l'église Notre-Dame-de-Lorette, l'inhumation aura lieu au cimetière de Bandol... Qu'est-ce que tu espères découvrir là-bas?

— Rien de bien défini... Peut-être un indice, un petit rien... J'y vais pour la même raison que j'assisterai le matin au service mortuaire...

— Tu vas avoir chaud...

— Il est possible que je doive coucher là-bas... Cela dépendra des avions... Je n'ai pas le courage de revenir à Paris par le train...

— Je te préparerai ta petite valise bleue...

— Oui... Simplement du linge et des objets de toilette...

Il avait quelques remords de se rendre dans le Midi aux frais des contribuables, car ce n'était pas indispensable. Il y avait même toutes les chances pour qu'il ne découvre rien du tout.

Il dormit paisiblement, comme c'était presque toujours le cas, et fut ébloui par le soleil quand Mme Maigret lui apporta sa première tasse de café.

— On annonce pour aujourd'hui trente degrés à Marseille... dit-elle en souriant.

— Et à Paris? répliqua-t-il.

— Vingt-six... C'est le mois de mai le plus chaud depuis trente-deux ans...

— Mon avion est à midi et quelque, je ne sais pas au juste, car c'est Janvier qui s'est occupé du billet. J'aurai juste le temps de passer au Quai avant de me rendre à Orly. Je vais emporter dès maintenant ma mallette...

— Et ton déjeuner? Quand et où déjeuneras-tu?

— Au pis aller, je mangerai un sandwich, au bar, à Orly...

Il se dirigeait vers la porte quand elle dit :

— Tu ne m'embrasses pas?

Il serait quand même revenu sur ses pas.

— Ne t'inquiète surtout pas. Je ne prends

pas un monomoteur d'il y a cinquante ans et je ne pars pas pour le tour du monde...

Il était un peu ému quand même, comme chaque fois qu'il quittait sa femme pour plus d'un jour.

Sur le trottoir, il leva la tête et il savait d'avance qu'il l'apercevrait à la fenêtre.

Heureusement, car elle lui montrait la mallette bleue qu'il avait oubliée et ils se retrouvèrent à mi-chemin dans l'escalier.

-:-

Il était neuf heures et quart quand Janvier pénétra dans le bureau du commissaire.

— Il paraît que la rue est déjà pleine et que l'église ne poura pas contenir tout le monde...

Maigret s'y attendait un peu, mais pas à ce point-là quand même.

— Toujours pas de nouvelles de la Puce?

— Non. Blanche Pigoud, cette nuit, a reçu un coup de téléphone au Canari. Quand elle a repris sa place au bar, elle paraissait émue, mais presque tout de suite après un client est venu s'asseoir à côté d'elle...

— A quelle heure est-elle rentrée chez elle?

— Vers quatre heures du matin...

— Tant pis... grommela Maigret pour lui-même.

Et il chercha le numéro de la jeune femme, le trouva, appela. Contrairement à ce qu'il prévoyait, elle ne mit pas longtemps à répondre.

— Qui est-ce? demanda-t-elle d'une voix endormie.

— Le commissaire Maigret...

— Vous avez du nouveau?

— Non, c'est vous qui en avez. Qui vous a téléphoné cette nuit au Canari?

— C'est lui, oui...

— Il vous a dit où il était?

— Non. Il voulait savoir si vous étiez au courant, ou l'inspecteur Louis, en ce qui le concerne... J'ai répondu que oui... Alors il m'a demandé si vous étiez fâché et cette fois j'ai dit que non...

On aurait dit une gamine engourdie de sommeil.

— C'est vrai, n'est-ce pas, que vous ne lui en voulez pas?

— Il a toujours aussi peur?

— Oui. Il aurait aimé savoir aussi si des inconnus ne rôdaient pas autour de la maison.

« — On n'a encore arrêté personne?

« — Pas que je sache.

« — On n'a même pas perquisitionné chez Manuel Mori?

« — Je crois que si. Le commissaire est venu ici avec l'inspecteur Louis, mais ils ne m'ont pas donné de détails... En tout cas, un policier veille sur moi jour et nuit... »

— Il n'a rien dit d'autre? questionna Maigret.

— Seulement qu'il changeait d'endroit chaque nuit... C'est tout... Je n'avais pas le temps de parler beaucoup, car depuis un bon moment un client tournait autour de moi...

— Recouchez-vous et ne craignez rien... Si vous aviez quelque chose de nouveau à me dire pendant la journée, appelez l'inspecteur Janvier, au quai des Orfèvres...

— Vous allez à Bandol?

Cela commençait à l'irriter. Tout le monde lui parlait de ce voyage comme s'il l'avait fait annoncer par les journaux.

— Et voilà! soupira-t-il en regardant Janvier dont la silhouette se découpait sur la verdure des arbres. Je ne sais pas si c'est une bonne idée, mais il change de cachette chaque nuit...

— Ce n'est peut-être pas si bête... Il doit y avoir tant de gens qui le cherchent...

Si Mori, comme c'était probable, avait donné le mot, toutes les petites frappes de Montmartre devaient être à l'affût de la Puce. Et celui-ci, avec son physique, ne pouvait guère passer inaperçu dans la foule.

— Je passerai tout à l'heure prendre ma mallette... Il vaudrait mieux que tu me donnes dès maintenant mon billet d'avion...

Heureusement, le départ était plus tard qu'il ne le craignait : 12 h 55.

— A tout à l'heure.

Il se fit conduire rue Ballu et dit au policier qui conduisait d'aller l'attendre près de l'église.

Plus de deux cents personnes se pressaient devant la maison où quelques-unes seulement pénétraient pour aller présenter leurs condoléances. Il y avait des gens de toutes sortes, des boutiquiers du quartier, des marlous, des propriétaires de restaurants ou de cabarets de nuit.

On commença à descendre les fleurs et il fallut deux voitures pour les contenir en même temps que les couronnes.

Puis quatre hommes descendirent le cercueil d'acajou qu'ils glissèrent dans le corbillard.

L'église était assez près et on n'aurait pas trouvé de voitures pour tout le monde. Quand Line Marcia parut, en grand deuil, blonde et pâle, sur le seuil, il y eut un frémissement dans la foule, comme au passage d'une vedette, et on aurait pu penser que les gens allaient applaudir.

Elle prit place dans une immense voiture noire qui roula au pas. Au premier rang marchait tout le personnel de la Sardine. Le rang suivant était formé par les anciens, des hommes de l'âge de M. Maurice et quelques-uns même plus âgés.

Très dignes, ils allaient tête nue, le chapeau à la main, tandis que des curieux se massaient aux fenêtres.

Sous un soleil triomphant, cela ne manquait pas d'allure et Marcia aurait été content de pareilles funérailles.

Quand Maigret se retourna, il vit que le cortège, sur toute la largeur des rues, mesurait plus de trois cents mètres et la circulation avait dû être détournée par les agents à bâtons blancs qui faisaient des gestes fébriles.

— Un enterrement du tonnerre... fit un gamin qui passait.

C'était exact que l'église était déjà remplie, sauf les premières rangées qu'on avait séparées des autres par des cordons noirs.

Line marcha seule, en tête toujours, très droite, et ses yeux bleus étaient impénétrables.

Seule aussi elle s'installa au premier rang tandis que le personnel s'assit au second.

Il y eut des gens debout dans les deux nefs. Il y en avait sur le parvis et on avait laissé les grandes portes ouvertes, de sorte que l'on recevait des bouffées de printemps.

Les orgues jouèrent une marche funèbre et quelques instants plus tard le service commença.

Maigret, debout dans l'aile gauche, examinait les visages et il ne tarda pas à repérer celui de Mori. Celui-ci avait pris place dans la rangée des personnages importants, d'autorité, comme si cela lui revenait de droit, alors qu'il était le plus jeune.

Son regard rencontra celui de Maigret et il exprima une sorte de défi.

Le commissaire n'attendit pas la fin de la cérémonie. Il avait chaud. Il avait soif. Quelques instants plus tard, il s'enfonçait dans l'ombre d'un bistrot où il commanda un verre de bière.

— Pour des funérailles, ce sont des funérailles, grommela le patron qui était très vieux et dont la main tremblait un peu. Qui est-ce, en somme?

— Le patron du restaurant la Sardine...
— En haut de la rue Fontaine?
— Oui.
— Je croyais que c'était un gangster...
— Il l'a été dans son jeune temps...

Maigret but son verre d'un trait, paya et finit par retrouver la voiture noire de la P.J.

— Au Quai...
— Bien, patron...

Il était onze heures. Le temps de saisir sa mallette et de serrer la main de Janvier et Maigret, dans la même voiture, se dirigeait vers Orly.

Est-ce que Line et Manuel allaient faire le voyage ensemble? Est-ce que le cercueil serait transporté jusqu'à Bandol par avion?

Après avoir accompli les formalités, il lui restait un peu de temps et il se mit à la recherche du commissaire de l'aéroport. C'était un homme qu'il connaissait, car il avait travaillé quai des Orfèvres.

— Vous allez à Bandol?

Maigret dut se contenir pour ne pas se fâcher.

— Oui... Je crois que je pars dans une vingtaine de minutes...
— On ne va pas tarder à appeler les passagers...
— Dites-moi... Savez-vous si un des avions est prévu pour transporter un cercueil?...
— M. Maurice?
— Oui.
— Il embarque vers trois heures avec sa

femme dans un avion privé qu'elle a loué, lui dans la boîte, elle dehors, bien entendu...

Maigret préféra ne pas hausser les épaules.

— Ils mettront combien de temps à faire le voyage?

— Ils doivent atterrir à Toulon, d'où un corbillard transportera le corps à Bandol. Il n'y a que quatorze kilomètres...

— Les passagers pour Marseille... commençait le haut-parleur.

Et Maigret se dirigea vers celle des portes qu'on lui désignait. Dix minutes plus tard, l'avion, qui était encore un appareil à deux hélices, décollait.

-:-

Il s'était promis d'admirer le paysage, car il aimait particulièrement le pays au sud de Lyon. Il n'en eut pas l'occasion, car il dormait bien avant qu'on survole le Rhône.

De l'aéroport de Marseille, il se fit conduire à la gare et il avait, une demi-heure plus tard, un train pour Bandol.

Il se sentait un peu ridicule, avec sa mallette sur les genoux, et son chapeau qu'il retirait sans cesse pour s'essuyer le front.

A Bandol, dès le quai de la gare, le soleil lui brûla littéralement la peau et il commença à regretter d'être venu. Des taxis attendaient, ainsi qu'un vieux fiacre, et Maigret choisit le fiacre.

— Où est-ce que je vous conduis, bourgeois?

— Vous connaissez un bon hôtel près de la mer?

— Vous allez y être dans un quart d'heure...

Les roues s'enfonçaient un peu dans l'asphalte amolli par la chaleur. La ville était presque blanche, comme Alger, et il y avait des palmiers le long de certaines avenues.

Il vit la mer, d'un bleu de drapeau, à travers la verdure. Puis il découvrit la plage où quelques personnes seulement se bronzaient tandis qu'une demi-douzaine de baigneurs nageaient. Ce n'était pas encore la saison.

On avait dépassé le Casino. L'hôtel était blanc aussi, avec une immense terrasse parsemée de parasols colorés.

— Vous avez une chambre?

— Pour combien de temps?

— Une seule nuit.

— Une personne? Vous préférez être du côté de la mer?

Il remplit sa carte de voyageur.

— Au 233...

L'hôtel s'appelait Les Tamaris. Il était frais et très propre.

— On peut trouver à boire?

— Le bar est au fond à droite...

Il s'y rendit et but un verre de bière.

— Vous n'êtes pas le commissaire Maigret? lui demanda le barman après l'avoir observé un moment.

C'était un jeune, très blond, qui rougissait de son audace.

— Vous êtes pour longtemps sur la Côte?

— Jusqu'à demain...

— Je m'en doutais... Vous êtes venu pour l'enterrement de M. Maurice, hein?

— Il était très connu dans le pays?

— Autant dire que c'était le Bon Dieu...

— Sa villa est loin d'ici?

— A un bon quart d'heure à pied. C'est pratiquement à l'autre bout du front de mer, pas loin de la villa du défunt Raimu. Vous la reconnaîtrez car elle est flanquée d'une immense piscine...

Maigret avait toujours l'impression de tricher, d'avoir pris des vacances irrégulières.

— Et le cimetière?

— A moins d'un kilomètre de la villa... Il va y avoir du monde, vous savez... Depuis ce matin, il en arrive de Toulon et de Marseille...

— Quel genre de monde?

— Des gens importants. Je me demande même si le sous-préfet ne viendra pas. Certains en parlent...

Maigret avala une seconde bière et, après avoir consulté sa montre, se mit lentement en marche. Heureusement que les avenues, le long de la mer, étaient ombragées.

— Il faudra que je vienne ici pour quelques jours avec ma femme... songea-t-il.

L'avion devait avoir débarqué le cercueil, ainsi que Line, à Toulon. A mesure qu'il avançait, il apercevait plus de monde et, quand il arriva à un tournant, il eut à peu près le même spectacle que le matin rue Ballu.

Combien de ces gens-là savaient la vérité? Peu importe, puisque personne ne parlerait.

Un seul l'avait fait, d'une cabine téléphonique, sans même révéler son nom, et il se terrait Dieu sait où à Montmartre.

CHAPITRE

5

UN PEU EN MARGE de la foule, il aperçut un visage qu'il connaissait bien. C'était Boutang, commissaire de la Police Judiciaire à Toulon.

— C'est drôle, fit celui-ci en lui serrant la main. Je pensais à vous ce matin en me rasant et j'avais le pressentiment que vous viendriez...

Il désigna la foule.

— Qu'est-ce que vous dites de ça? Quel coup de filet on pourrait faire... Non seulement il y a là toute la crème des truands de Toulon, mais encore ceux de Marseille, de Cannes, de Nice...

Quelqu'un s'approchait d'eux et Boutang lui serrait la main, faisait les présentations.

— Charmeroy, commissaire de police à Bandol... Je suppose, Charmeroy, que vous avez reconnu le commissaire Maigret?...

— Très honoré...

Ils étaient solides l'un et l'autre. Des hommes qui connaissaient leur affaire et qui ne se laissaient pas impressionner.

— Les neuf dixièmes de ceux qui sont ici vivent en marge de la loi et le plus extraordinaire, c'est qu'il n'y en a pas un contre qui nous ayons des preuves...

— Quand Marcia vivait à Bandol, l'été, recevait-il beaucoup?

— Très peu, au contraire. Quelques intimes. En particulier les frères Mori...

— Ils couchaient à la villa?

— Oui. Et, comme par hasard, c'était toujours l'époque des grands cambriolages... Vous devez lire ça dans les journaux... Des estivants qui ont une grosse villa sur la Côte, qui possèdent aussi un yacht et qui, en juillet ou août, partent en croisière vers les îles grecques... A leur retour, ils sont fort surpris de ne pas retrouver leurs meubles et leurs objets de valeur...

— C'est comme pour les châteaux...

— A peu près... J'ai soupçonné les frères Mori et même le patron, que tout le monde ici appelle M. Maurice... J'ai fait surveiller la villa... Comme par hasard, chaque fois qu'il y a eu un cambriolage, les Mori n'ont pas quitté la villa et ont joué au gin rummy jusqu'aux petites heures avec Marcia... Vous connaissez sa femme? Elle ne manque pas de classe et on pourrait la croire dépaysée dans ce milieu...

Le cortège arrivait. Derrière le corbillard, Line, seule dans une voiture, puis d'autres voitures portant des immatriculations de la Côte d'Azur. De grosses américaines, mais aussi, pour les plus jeunes, des autos de grand sport.

Tout cela roulait au pas et il y avait une autre foule qui suivait tant bien que mal.

Il y eut un moment de confusion. Le chauffeur du corbillard fut sur le point de tourner à droite en approchant de la villa mais le maître de cérémonie courut lui donner d'autres ordres.

Les deux groupes se mélangeaient. On aurait dit que tout le monde se connaissait. Les mains se serraient. Quelques-uns chuchotaient.

Mme Marcia descendit de l'auto et se dirigea vers la villa. Elle s'était changée depuis le matin. Elle portait maintenant un tailleur noir d'un tissu léger ainsi qu'un chapeau de soie blanche. Ses gants étaient blancs aussi.

Qu'était-elle venue faire, seule, dans la villa? Maigret ne trouvait aucune réponse plausible à cette question. Boutang et le commissaire de police non plus.

Elle ne resta absente que moins de dix minutes et remonta dans sa voiture. Le cortège fit demi-tour, s'engagea dans la rue des Ecoles, puis dans l'avenue du 11 Novembre, où l'on se trouva soudain à l'entrée du cimetière.

La confusion régna à nouveau, car beaucoup couraient à travers les tombes pour avoir une bonne place près de la fosse ouverte.

Un prêtre s'y tenait et salua Line.

Elle ne pleura pas plus qu'elle n'avait pleuré le matin à l'église Notre-Dame-de-Lorette. Le lourd cercueil fut descendu. Le prêtre récita quelques prières à mi-voix puis ce furent les fleurs qu'on posa en attendant sur les tombes voisines.

— Tous les grands patrons de la pègre sont là. Les jeunets aussi, fiers de se faire voir avec eux... Qu'est-ce que vous faites maintenant, Commissaire?

— Je ne le sais pas encore.

— Où êtes-vous descendu?

— A l'Hôtel des Tamaris...

— C'est très bien et les patrons sont agréables...

Line était déjà partie en voiture vers la villa. Maigret, dans la foule, n'avait pas aperçu Manuel Mori ni son frère.

— Je crois que je vais rendre une visite...

— Vous avez l'impression qu'elle était au courant?

— Ce n'est pas une impression. C'est une certitude. Malheureusement, je n'ai recueilli aucune preuve...

— Bonne chance... Si vous avez besoin de moi, vous savez où me trouver et où trouver Charmeroy...

La foule se dispersait petit à petit et se dirigeait vers le centre de la ville pour se rafraîchir dans les bars. Quelques voitures seulement, celles des personnages les plus importants, s'étaient dirigées directement vers Toulon ou Marseille.

Maigret se retrouva seul devant la villa blanche. Celle-ci n'était pas d'une taille écrasante. C'était une jolie villa, sans plus, et ce qu'il y avait de plus impressionnant c'était la piscine entourée de fauteuils-hamacs. Le jardin comportait quelques palmiers, des quantités de cactus et de plantes plus ou moins tropicales que Maigret ne connaissait pas.

Il gravit le perron de trois marches, pressa le timbre électrique, fut surpris de voir la porte s'ouvrir instantanément et Line se dresser devant lui.

— J'aurais dû me douter que vous ne rateriez pas ça... Vous ne respectez pas le deuil, non?

— Et vous?

On entrait de plain-pied dans un vaste hall aux murs blancs dont les meubles et les fournitures avaient autant de classe, dans un autre style, que dans l'ancien hôtel particulier de la rue Ballu.

Elle ne l'invitait pas à s'asseoir. Elle attendait, debout, qu'il prenne la parole. La main qui tenait sa cigarette tremblait un peu.

— Je voudrais vous parler de la nuit où votre mari est mort...

— J'ai l'impression de vous avoir déjà répondu à ce sujet.

— Comme vous n'avez pas dit la vérité, je vous pose la question à nouveau.

Et Maigret s'asseyait dans un des fauteuils de cuir crème.

— Vous profitez de ce que je ne suis pas assez forte pour vous flanquer à la porte...

— Vous n'oseriez le faire dans aucun cas... Ne fût-ce que pour ne pas compromettre davantage votre amant...

Elle devint pâle, de rage, et elle alla écraser la cigarette dans un cendrier.

— Vous n'avez donc aucune humanité?

— J'en ai à revendre, au contraire... Mais cela dépend de mon interlocuteur... Il est évident que vous avez épousé Marcia pour son argent...

— Cela me regarde.

Elle s'asseyait enfin, croisait les jambes, allumait une nouvelle cigarette qu'elle prenait dans une boîte en or qui se trouvait sur un guéridon.

— Vous étiez au lit, Manuel et vous... On a frappé violemment à la porte et je suppose que Mori a passé une robe de chambre tandis que vous vous couliez sous les draps...

Elle ne bronchait pas. Son visage, à présent, était impassible. On aurait même juré qu'il n'y avait dans ses yeux bleu clair que de la curiosité.

— Ensuite?

— C'était votre mari...

— Et qu'a-t-il fait, à votre avis? Il a serré la main de Manuel?

— Il a sorti son automatique de sa poche...

— Comme au cinéma...

— Ce qui m'intéresse, c'est de savoir où se trouvait le pistolet de Mori... Dans un meuble, certainement... Mais cela pourrait être aussi bien dans la chambre à coucher que dans le salon...

— Il faudrait d'ailleurs prouver qu'il y avait une arme dans l'appartement...

Elle alluma sa cigarette.

— Et que je m'y trouvais... Et qu'il y avait un visiteur qui n'était autre que mon mari... Vous êtes mal embarqué, Commissaire...

Maigret allait répondre quand elle prononça d'une voix à peine plus forte :

— Entre, mon chéri...

Et, instantanément, une porte s'ouvrit, Manuel parut, en short et en espadrilles, comme s'il venait de la plage.

— Alors, Commissaire, on se déplace, à ce que je vois?

Ironique, il regardait Maigret des pieds à la tête, se dirigeait vers le bar et se servait un Tom Collins.

— Tu en veux un aussi, mon petit?

— C'est un fait que j'ai soif.

— Et vous, flic?

— Non.

— Comme vous voudrez... Inutile, ici, de m'exhiber votre petit papier jaune... Vous êtes loin de votre terrain de chasse...

— Je pourrais obtenir sans peine une commission rogatoire...

— Mais vous ne le ferez pas.

— Pour quelle raison?

— Parce que vous n'avez rien contre moi...

— Même pas le témoignage de la Puce?

— Vous l'avez retrouvé?

Il avait froncé les sourcils.

— La Puce est sans doute l'homme, si on peut dire, qui connaît le mieux le IXe et le XVIIIe arrondissement. Les gens le connaissent aussi et la plupart sont prêts à lui donner un coup de main... Ce n'est pas vous qui le retrouverez, Commissaire. Ce sont mes hommes à moi... Mais vous n'aurez aucune preuve non plus... Vous voyez que je mets cartes sur table...

« Si nous avions des témoins, j'affirmerais une fois de plus que je n'ai pas tiré, que personne n'a tiré dans mon appartement et que Maurice n'y a pas mis les pieds cette nuit-là.

« Nous pourrions répéter aussi, Line et moi, qu'il n'y a jamais rien eu entre nous et je vous défie de produire au tribunal des gens pour prétendre le contraire... »

Il ne jouait pas la comédie. Il était gonflé à bloc et Maigret se demandait avec inquiétude la raison de son assurance. On aurait dit qu'il ne craignait plus rien et Line elle-même était aussi calme que si un certain Marcia n'avait jamais existé.

Le commissaire pensa tout de suite à la Puce. Est-ce que les hommes de Mori, comme celui-ci les appelait, avaient enfin mis la main sur le nabot? Avaient-ils fait en sorte qu'il ne soit plus dangereux et qu'il se taise une fois pour toutes?

Maigret bourra sa pipe, l'alluma, se mit debout et commença à aller et venir dans la pièce.

— Je suis en effet en dehors de ma circonscription. Je ne puis donc me servir des documents que je vous ai montrés à Paris...

— Exact...

— Il me suffirait d'un coup de téléphone

pour que le commissaire Boutang soit ici dans une demi-heure tout au plus avec un ordre de perquisition... Je suppose que vous connaissez Boutang?

— Ce n'est pas un ami...

— Donc, à vous de choisir... Ou bien vous me faites visiter la villa, ou je téléphone à Toulon.

— Visitez, je vous en prie... A condition que vous n'emportiez rien...

Dans le grand salon même, le commissaire fit une découverte. Un des murs était recouvert d'une bibliothèque où tous les livres, comme à Paris, étaient richement reliés.

Or, sur les tablettes du bas, il y avait des piles de magazines. Il ne s'agissait pas d'hebdomadaires comme on en trouve dans tous les kiosques et ils ne cadraient pas avec le caractère de M. Maurice, Maigret prononçait les titres à mi-voix, en s'assurant que ces magazines avaient été tout au moins feuilletés :

— *Fermes et châteaux*... C'est d'une lecture très instructive, n'est-ce pas?... *La Vie à la Campagne*... *Connaissance des Arts*...

Mori avait froncé les sourcils et jeté un coup d'œil à sa maîtresse.

— C'est à moi, dit-elle. Je ne joue pas aux cartes et, quand les hommes font une partie de gin rummy, je m'installe dans un coin pour lire...

La pièce suivante était une salle à manger ancienne, de style provençal et, à gauche, on voyait un boudoir dont chaque pièce, comme à Paris, aurait pu prendre place dans un musée.

— Il est authentique? questionna Maigret en désignant un Van Gogh...

Ce fut la femme qui répondit.

— Je ne suis pas experte, mais mon mari n'avait pas pour habitude d'acheter des faux...

La cuisine était vaste, moderne, impeccable.

— Vous receviez pourtant assez peu.

— Comment le savez-vous?

— J'ai eu le temps de me renseigner. Je sais aussi que les frères Mori passaient chez vous un mois par an en moyenne...

— Ils étaient les meilleurs amis de mon mari...

— Qui ignorait probablement tout de vos relations avec Manuel...

Celui-ci ne bronchait toujours pas et suivait Maigret sans mot dire.

— Vous vous trompez... Mon mari avait soixante-deux ans et avait beaucoup profité de la vie... Dans un certain sens, il était usé... Il était peut-être amoureux de moi quand il m'a épousée, il y a cinq ans, mais nous n'avons pas tardé à vivre comme frère et sœur...

— Vous pouvez continuer à mentir. Cela ne me gêne pas...

Il gravit un escalier de marbre et poussa une porte à deux battants qui donnait sur une vaste chambre à coucher que prolongeait une terrasse donnant sur la mer.

— La vôtre?

Il y avait des lits jumeaux, et toujours des meubles extraordinaires.

La salle de bains était plus grande que celle de la rue Ballu, entièrement recouverte de marbre jaune pâle.

— Une seule salle de bains pour vous deux? Cela cadre mal avec votre histoire de frère et sœur...

— Pensez-en ce que vous voudrez...

Il y avait deux autres chambres à l'étage, chacune avec sa salle de bains.

— Les frères Mori, je suppose?

— Les chambres d'amis...

— En dehors d'eux, il en vient beaucoup pour occuper ces pièces?

— Cela arrive...

Les tableaux étaient presque tous des tableaux anciens dont Maigret ne connaissait pas les auteurs.

— Il y a un grenier?

— Non. Des mansardes, où couchent les domestiques.

— Ils sont ici en ce moment?

— Non. Je repars ce soir. Une femme de ménage suffit pour tenir la villa en état...

— Et vous ne reprenez pas fatalement le même personnel chaque année?

— Il nous arrive en effet de changer.

— De sorte que, la plus grande partie de l'année, cette maison, la nuit, n'est pas occupée et qu'il n'y a personne pour la surveiller.

Elle acquiesça de la tête. Alors il lui lança non sans ironie :

— Vous ne craignez pas les cambrioleurs?

— Ils n'oseraient pas s'en prendre à la maison de mon mari...

— Ni, maintenant que vous en avez hérité, à la vôtre...

Quand ils se retrouvèrent au salon, Maigret ne se dirigea pas vers la porte, mais alla se rasseoir dans le fauteuil qu'il avait occupé précédemment.

Le couple échangea des regards.

— Je me permets de vous signaler que notre avion nous attend à Toulon.

— *Votre* avion. Vous avez employé le pluriel. Cela signifie que Mori va voyager avec vous?...

— Pourquoi pas?

— En ami... En tout bien tout honneur...

— Il serait temps de changer de disque... Nous sommes amants, c'est vrai...

— C'est mieux ainsi.

— Ce n'est pas un drame...

— Sauf quand le mari reçoit une balle de fort calibre en pleine poitrine...

Il se tourna vers Mori.

— Nous n'avons pas terminé, tout à l'heure, notre petite conversation à ce sujet. Nous en étions au moment où, ayant passé en hâte une robe de chambre, vous vous dirigiez vers la porte. Vous l'avez ouverte, bien entendu...

— Ensuite?

— C'est de vous que j'attends la suite. Maurice Marcia n'est pas resté sur le palier...

— Vous ai-je dit que c'était lui?

— Mettons que vous ne l'avez pas nié. Il ne s'est pas installé dans le salon pour bavarder avec vous... Au contraire, il a traversé celui-ci pour gagner la chambre à coucher...

« Il lui a suffi de soulever le drap pour trouver sa femme nue comme un ver... »

— Quelle délicatesse! ironisa Line.

— En somme, dès le moment où il est entré ici, il savait ce qu'il allait trouver. Il le savait déjà en quittant la Sardine.

— Il le savait depuis trois ans...

— Non. Vous ne me le ferez pas prendre pour un mari complaisant, pas plus que pour un impuissant... Il avait probablement son automatique à la main... Vous, Mori, vous aviez votre pistolet dans la poche de votre robe de chambre... Où l'avez-vous pris?...

— Je n'avais aucune arme dans l'appartement.

— Qui a tiré, dans ce cas? L'automatique de Marcia n'a pas servi. Quant au pistolet qui l'a tué, il est probablement quelque part au fond de la Seine...

— Vous devriez le faire rechercher par des scaphandriers...

Maigret suivait son idée sans se laisser décourager.

— En supposant que vous soyez allé ouvrir la porte sans être armé, ce qui est possible...

— Enfin!...

— Je n'ai pas fini... Vous vous êtes saisi

d'un pistolet en voyant Marcia se diriger vers la chambre à coucher... A moins que le pistolet ne se soit trouvé dans le tiroir de la table de nuit et qu'une bonne âme vous ait passé l'objet afin de vous défendre...

— J'aimerais entendre ce récit-là devant les jurés de la Cour d'Assises...

— Il existe une autre possibilité...

— Laquelle? Vous excitez ma curiosité...

— C'est que ce ne soit pas vous qui ayez tué...

— Et voilà un nouveau personnage qui entre en scène afin de jouer les traîtres...

— Non... Line a eu tout le temps, pendant que vous alliez ouvrir la porte, de saisir l'arme qui se trouvait dans la table de nuit... Et, quand Marcia vous a menacé, c'est elle qui...

— Elle aurait sans doute atteint le plafond, car elle ne s'est jamais servie d'une arme à feu de sa vie...

— Nous en reparlerons...

— A Paris, d'accord.

— Cette fois, ce sera dans mon bureau.

— Pourquoi pas?

— Vous risquez d'en sortir menottes aux poings...

— Ce n'est pas élégant de chercher à m'impressionner... Et si je quittais la France d'ici là?

— Interpol ne tarderait pas à vous retrouver... Vous oubliez que vous êtes fiché et, en outre, assez voyant...

« Je suppose que vous avez l'intention,

après un certain délai, de vous marier tous les deux? »

— C'est dans le domaine des possibilités...

— Allez donc prendre votre avion...

Manuel railla :

— Vous ne voulez pas une place?

Maigret le regarda avec un calme qui ne l'avait pas quitté de l'après-midi, et on sentait que c'était le calme qui précède l'orage.

-:-

Il mangea la bouillabaisse dans un petit restaurant propret, seul dans son coin. Il n'en retira pas le plaisir qu'il en espérait. Cela devait tenir à son état d'esprit.

La nuit était tombée. Les allées plantées d'arbres, face à la mer, étaient doucement éclairées et on entendait le bruissement léger des vagues.

Il s'assit sur un banc. L'air était doux. Il se sentait paresseux. Pour un peu, il aurait fait venir Mme Maigret de Paris et ils auraient passé huit jours de vacances à Bandol.

Il ne tarda pas à aller se coucher et il s'endormit tout de suite. Le lendemain, il dut se lever de bonne heure afin de prendre son avion à Marseille et il débarqua à Orly à dix heures trente.

Il prit un taxi et se fit d'abord déposer chez lui. Sa femme ne l'accueillait pas avec de grands transports de joie mais on sentait à son visage rayonnant qu'elle reprenait vie.

— Pas trop fatigué?

— Un peu.

— Tu veux que je te prépare du café?

— Merci. Il faut que je passe au Quai.

— Toujours cette maudite affaire?

— Cette maudite affaire, comme tu dis...

— Les journaux d'hier soir ont parlé de toi. Il paraît que tu joues les mystérieux, que tu es préoccupé, même découragé, et que tu caches certainement quelque chose.

— S'ils savaient la vérité!... Je ne sais pas si je pourrai rentrer déjeuner... Cela dépendra de ce qui m'attend au bureau... A propos... Un de ces jours, il faudra que nous allions tous les deux à Bandol...

Il retrouva la petite voiture au bord du trottoir et un peu plus tard il s'engageait dans le grand escalier du Quai. Sur son bureau s'entassaient déjà des documents administratifs, des rapports, quelques lettres. Il alla ouvrir la porte du bureau des inspecteurs et appela Janvier.

— Bon voyage, patron?

— Pas mauvais. Devine qui était dans la villa avant même Mme Marcia?

— Mori, évidemment...

— Exact. Celui-là est coriace, je t'assure, et il nous donnera encore du fil à retordre avant de se mettre à table...

— J'ai une bonne nouvelle pour vous... Enfin, une demi-bonne nouvelle... L'inspecteur Louis a téléphoné ce matin... Il a raté la Puce de quelques heures et il voudrait vous en parler... Il restera dans son bureau toute la matinée afin que vous puissiez l'appeler...

— Fais-le pour moi... Dis-lui que je passe le voir...

Il allait se camper devant la fenêtre ouverte et retrouvait « son » paysage de la Seine avec autant de joie que s'il l'avait quitté pendant des semaines. Le temps était lourd. Il y avait de l'orage dans l'air mais il n'éclaterait sans doute pas avant la soirée.

— Il vous attend.

— Tu viens avec moi? Cela nous permettra de bavarder en route.

Et, en effet, chemin faisant, il mit Janvier au courant de ce qui s'était passé à Bandol. Ils s'arrêtèrent un instant devant le poste de police de la place Saint-Georges et M. Louis, comme certains l'appelaient cérémonieusement, pour le taquiner, ne tarda pas à les rejoindre dans la voiture.

— Vous voulez voir le dernier endroit où il s'est caché?

— Oui...

— Dans ce cas, arrêtez-vous tout en haut de Montmartre, place du Tertre...

Il y avait des peintres le long des trottoirs et les petites tables à nappes à carreaux rouges étaient prêtes pour les touristes.

— Tournez le coin de la rue du Mont-Cenis et garez la voiture au bord du trottoir...

Plus bas dans la rue, il y avait des immeubles assez neufs mais, dans le haut, la plupart des maisons avaient gardé leur caractère vieillot. L'inspecteur Louis les conduisit dans une allée, entre deux bâtiments, et, au fond, on voyait un atelier vitré.

Louis frappa. Une voix forte cria :

— Entrez!

Ils se trouvaient dans l'atelier d'un sculpteur et celui-ci regardait le commissaire en fermant à moitié les yeux, comme il aurait regardé un modèle.

— Vous, vous êtes le commissaire Maigret. Est-ce que je me trompe?

— Vous ne vous trompez pas.

— Celui-là...

— L'inspecteur Janvier.

— Voilà des années qu'il n'y a pas eu tant de monde dans mon atelier...

Il avait les cheveux blancs, une barbiche et des moustaches blanches et ses joues étaient roses comme celles d'un bébé.

— M. Sorel est le plus ancien artiste de la Butte, expliqua l'inspecteur Louis. Depuis combien d'années m'avez-vous dit que vous occupiez cet atelier?

— Cinquante-trois ans... J'en ai vu défiler, des peintres, à commencer par Picasso, avec qui j'ai souvent cassé la croûte...

Il avait le regard un peu naïf, enfantin. En regardant autour de l'atelier, on ne pouvait se faire d'illusions sur son talent. Il ne sculptait que des têtes d'enfants, du même enfant, aurait-on dit, avec des expressions différentes, et sans doute ces bustes étaient-ils vendus chez le marchand de tableaux de la place du Tertre.

— Il paraît que vous avez eu la Puce chez vous?

— Pendant deux jours et deux nuits... Il est parti hier soir, quand la nuit est tombée... Il n'ose pas rester plus longtemps au même endroit par crainte d'être repéré...

— Comment se fait-il qu'il ait choisi votre atelier?

— Si je vous disais que je l'ai connu alors qu'il n'avait pas quinze ans? C'était alors un garçon des rues, qui se débrouillait comme il pouvait et qui ne mangeait pas souvent à sa faim.

« Le rencontrant un jour place du Tertre, je lui ai demandé s'il voulait poser pour moi et il est venu... Je me souviens du buste que j'en ai fait, un de mes meilleurs, qui se trouve maintenant dans Dieu sait quelle collection... A cause de son visage grimaçant et de son immense bouche, j'en ai fait un clown plus vrai que si j'avais eu un clown professionnel comme modèle...

« C'était un bon petit gars. De temps en temps, il venait frapper à ma porte, surtout l'hiver, et me demander s'il pouvait coucher sur la paillasse... C'était la paillasse de mon chien, car j'ai eu un chien, un grand saint-bernard... Mais c'est une autre histoire... »

— Il vous a parlé de ses ennuis?

— Il m'a demandé si je pouvais le cacher pendant une nuit ou deux... J'ai voulu savoir si c'était la police qu'il fuyait; il m'a dit qu'au contraire, il était très bien avec l'inspecteur Louis et le commissaire Maigret... Il a ajouté que c'était justement pour ça que certaines gens cherchaient à mettre la main sur lui...

— Il ne vous a pas dit où il allait en partant d'ici?

— Non. Comme j'ai pu comprendre, ce n'est pas loin. Il semble ne pas vouloir s'éloigner des parages...

— Pendant ces deux jours, il ne vous a parlé de personne en particulier?

— Si. D'un ancien agent de police, qui est maintenant à la retraite, et qui a été gentil avec lui quand il était gamin... Je ne sais pas son nom... Je ne le connais pas... Je ne quitte mon atelier que pour faire mon marché à moins de cent mètres d'ici et pour aller livrer mes œuvres à mon marchand...

Il sembla s'apercevoir seulement qu'ils étaient tous debout.

— Excusez-moi si je ne vous propose pas de vous asseoir mais je n'ai pas assez de chaises ou de tabourets... Et quant à vous offrir l'apéritif, je n'ai que du gros rouge, le même que buvait Utrillo et qui vous semblerait sans doute trop raide.

— Pendant ces deux jours et ces deux nuits, il n'est pas sorti de chez vous?

— Non. Mais il a été surpris et tout heureux que j'aie le téléphone. Il a appelé une femme pour lui donner de ses nouvelles et je suis allé fumer discrètement une pipe dans la cour...

« Tout ce que je peux vous dire c'est qu'il avait très peur... Il ne tenait pas en place... Il sursautait à chaque bruit et il m'a demandé au moins dix fois si personne ne venait jamais me voir... Qui viendrait me voir?... Je ne veux même pas de femme de ménage... »

Maigret le regardait avec sympathie, car c'était en effet un des rares spécimens encore vivants de l'ancien Montmartre.

— Tiens! Il a parlé de vous... Il paraît que vous devez arrêter quelqu'un, mais il ne comprend pas pourquoi vous tardez autant...

« — Si le commissaire ne se presse pas, il n'aura plus personne pour témoigner, car ils m'auront abattu avant... »

En sortant, après avoir serré la main du vieillard, Maigret grommelait à part lui :

— Un agent de police à la retraite...

— J'ai déjà commencé à travailler sur cette piste, dit l'inspecteur Louis avec son impassibilité habituelle. Il y a des chances que ce soit un agent du XVIIIe arrondissement, ou peut-être du IXe, car il ne serait pas venu habiter si loin... Il semble aussi que c'est le quartier où la Puce rôdait le plus volontiers quand il était jeune...

« J'ai commencé à étudier les listes des sergents de ville qui ont pris leur retraite depuis dix ans... Je n'en ai pas trouvé jusqu'ici qui soient domiciliés à Montmartre, mais je vais continuer cet après-midi... »

Il aurait été plus facile, évidemment, dans un quartier où tout le monde se connaît, de s'adresser à la première bonne femme venue, à l'épicier. Mais ne serait-ce pas dangereux pour la Puce?

— Où voulez-vous qu'on vous dépose?

— Nulle part... Je vais rester dans le quartier...

Il avait ses méthodes. C'était une sorte de chien de chasse et il aurait été malheureux s'il avait dû travailler en équipe. Il allait sûrement faire à nouveau la tournée des bars des environs, se noyer l'estomac de quarts Vichy tout en écoutant les conversations autour de lui.

— Chez Blanche Pigoud, rue Fromentin...

Maigret, lui aussi, commençait à s'inquiéter du sort de la Puce, mais cela n'aurait servi à rien de mettre dix hommes, vingt hommes à sa recherche.

— Au fait, on surveille toujours les frères Mori?

— Les inspecteurs se relayent. Pendant l'absence de son frère, Jo a passé assez de temps rue du Caire, puis il est parti en camion et il est revenu, sans cageots, vers huit heures du soir. Il a fermé le rideau de fer et est passé chez lui pour prendre une douche et se changer. Vous savez où il a dîné?

— Oui. A la Sardine...

— Comment avez-vous deviné?

— Parce que c'était déjà comme une prise de possession...

— Et Manuel?

— C'est encore plus facile... Il a dîné à la Sardine aussi, en compagnie de Line... C'était probablement la première fois que celle-ci mangeait dans le restaurant de son mari... Le pauvre Marcia ne savait pas encore qu'elle en serait bientôt la patronne...

— On dirait qu'ils agissent ainsi par défi... Je suis persuadé que le personnel a été indigné de la voir, le jour des obsèques, en compagnie des frères Mori...

— Manuel se fiche bien de ce que peut penser le personnel. Si des employés s'en vont, il les remplacera par des gens à lui... C'est probablement son intention... Je parie qu'il a couché rue Ballu...

— Vous avez gagné... Pour autant que je sache, il y est toujours...

— Il y a quand même une faille quelque part... pensa Maigret à mi-voix.

— La Puce?

— La Puce ne nous est d'aucune utilité avant que nous ne mettions la main sur lui... Non! Il y a une faille ailleurs et j'en ai mal à la tête à force d'y penser...

— Je monte avec vous?

— Il vaut peut-être mieux pas... Malgré son métier, cette fille a assez de délicatesse... Avec moi, elle est déjà apprivoisée, mais si nous nous présentons tous les deux...

Cette fois, la jeune amie de la Puce était levée, en train de prendre son petit déjeuner près de la fenêtre.

— Une tasse de café? Il y en a du tout prêt.

— Alors, volontiers...

Elle paraissait préoccupée.

— Vous avez de ses nouvelles, Commissaire?

— Je sais où il a couché les deux dernières nuits, mais il a filé hier soir...

— Dans quel quartier?

— Près de la place du Tertre, chez un vieux sculpteur...

— C'est drôle. Il m'en a parlé une fois que nous sommes allés dîner au pied du Sacré-Cœur. Cela lui rappelait des souvenirs d'enfance. Il me décrivait la paillasse sur laquelle il lui arrivait de coucher et qui avait servi à un gros chien...

— Il ne vous a parlé de personne d'autre, dans le quartier?

— Je ne me rappelle pas... Je ne crois pas...

— D'un ancien agent de police, par exemple?

— Vraiment, cela ne me dit rien.

— Il vous a téléphoné?

— Deux fois.

— Que vous a-t-il dit?

— Il a de plus en plus peur. Il ne comprend pas pourquoi vous n'arrêtez pas les frères Mori. Leur bande se tiendrait tranquille et Justin pourrait respirer à l'air libre...

— Il m'en veut?

— Un peu, je crois, oui. Il en veut aussi à l'inspecteur Louis. Je lui ai répété ce que vous m'avez dit...

— Ecoutez... Il y a toutes les chances pour qu'il vous appelle à nouveau, à moins qu'il n'y ait pas le téléphone où il se trouve... Dites-lui de me téléphoner à moi... Je lui donnerai tous les apaisements qu'il désire...

— C'est vrai?

— J'ai besoin d'un entretien avec lui et il

est probable que, deux heures après, les frères Mori seront sous les verrous...

— Je le lui dirai... Je ferai mon possible... Mettez-vous à sa place... Il ne croit plus en rien, en personne...

-:-

Un quart d'heure plus tard, Maigret et Janvier étaient attablés au bar de la Sardine. C'était l'heure où on dressait les couverts pour le déjeuner, et, près de la caisse, le maître d'hôtel, au téléphone, prenait des réservations.

— Un demi, Freddy...

— Et vous? demanda celui-ci à Janvier.

— La même chose...

— Nous n'avons plus que de la bière étrangère.

— Cela ne fait rien.

On aurait dit qu'il ne les servait qu'à contrecœur et il jetait de fréquents coups d'œil à la porte, comme s'il craignait de voir entrer un des frères Mori.

— Je n'ai jamais vu tant de monde à un enterrement, murmura Maigret, comme pour le forcer à parler.

— Il y avait du monde, oui.

— Et il y en avait presque autant à Bandol. Des gens venus de partout, de Nice, de Cannes, de Toulon, de Marseille... Et quelles voitures!... Je n'ai pas compté moins de cinq Ferrari...

Par contenance, Freddy essuyait les verres.

Comitat, le maître d'hôtel, avait fini de téléphoner et, au lieu de venir vers eux, il restait au fond de la salle, avec l'air de les ignorer.

Maigret ironisa :

— Il fait frais, aujourd'hui...

Le thermomètre devait indiquer vingt-cinq degrés à l'ombre.

— Il fait frais, oui...

— Alors, vous avez enfin vu la patronne?

— Quelle patronne?

— Line Marcia... Elle a dîné ici hier soir avec les frères Mori... Il est vrai que c'est plutôt Manuel le patron...

— Ecoutez, Monsieur Maigret... Je ne me mêle pas de vos affaires... Ne vous mêlez pas de ce qui se passe ici... D'abord, si on me voyait bavarder avec vous, cela pourrait me faire du tort... Cela pourrait aussi ne pas vous faire de bien...

Le commissaire et Janvier échangèrent un coup d'œil.

— Tu m'attends un instant, Janvier?

Et il se dirigea vers les toilettes. Pour les atteindre, il devait passer près de Comitat.

— Bonjour, Monsieur Raoul, lui lança-t-il.

— Freddy a dû vous dire que vous n'êtes pas le bienvenu ici...

— En effet... Changement de propriétaire... Et, du coup, tout le monde, dans la maison, serre les fesses...

— Je vous serais obligé de ne pas revenir.

— Vous oubliez que c'est un endroit public

et qu'il est ouvert à tout ce qui a une tenue décente et le portefeuille assez garni...

Il gagna les toilettes, revint vers le bar. Il était un peu plus de midi et quart.

— Tu sais ce que nous allons faire, Janvier? Nous allons déjeuner ici...

Ils se dirigèrent vers la table la plus proche. Comitat arriva à fond de train.

— Je m'excuse, mais cette table est retenue.

— Nous prendrons donc la table voisine...

— Elle est retenue aussi... Toutes les tables sont retenues...

— Mettons, dans ce cas, que celle-ci est retenue par moi... Assieds-toi, Janvier...

Ce n'était pas de la gaminerie de la part de Maigret. Il enrageait. Et il voulait les faire râler à leur tour.

— Passez-moi la carte, s'il vous plaît... Et n'oubliez pas que je peux faire fermer la boîte dans les vingt-quatre heures...

La carte était immense, avec au dos la liste des vins.

— Il y a des coquilles Saint-Jacques, Janvier... Qu'en dis-tu?

— Entendu pour les coquilles Saint-Jacques...

— Ensuite de la côte de bœuf braisée...

— D'accord aussi...

Il retourna la carte.

— Un vin léger... Un Beaujolais?...

— Volontiers...

Le maître d'hôtel était raide comme un piquet derrière eux. Puis quatre clients entrèrent et s'installèrent près de la vitre. La petite caissière brune avait pris sa place mais c'est en vain que Maigret lui adressa un bonjour. Elle ne paraissait pas le reconnaître.

M. Maurice était mort. De son vivant, personne ne bronchait, mais il y avait quand même un certain moelleux dans l'atmosphère.

Mori, hier au soir, était venu prendre possession des lieux en compagnie de Mme Marcia et ils avaient tous compris.

Désormais, ils allaient avoir à filer doux. Ils commençaient. Il leur arrivait tout juste, en se croisant, de balbutier quelques mots.

— Que paries-tu que nous ne serons pas servis avant une demi-heure d'ici, sinon une heure?

Et, en effet, la table de quatre fut servie avant eux, puis deux Anglais qui venaient à peine d'arriver. La salle se remplissait peu à peu et, plus on tardait à s'occuper d'eux, plus Maigret souriait en fumant ostensiblement sa pipe.

— Ne vous pressez pas! dit-il au maître d'hôtel qui passait.

— Non, Monsieur. Je n'en ai pas l'intention.

Les Mori ne se montrèrent pas et les deux hommes finirent par avoir à manger et à boire.

CHAPITRE

6

QUAND MAIGRET rentra au Quai, il était plus de trois heures et la première personne qu'il vit fut l'éternel inspecteur Louis assis sur un des bancs du couloir, son chapeau noir sur les genoux.

Le commissaire le fit entrer dans son bureau et Louis s'assit une fois de plus au bord d'une chaise.

— Je crois que j'ai eu de la chance, Monsieur le Divisionnaire...

Il avait la voix feutrée des timides et il fixait rarement son interlocuteur en face.

— Quand je vous ai quitté ce matin, j'ai recommencé la tournée des bars et des cafés, dans le haut de Montmartre, aux alentours de la place du Tertre... Je sais que c'est une manie... Je suis arrivé aux Trois Tonneaux, un bistrot d'habitués dans la rue Gabrielle... Je suis resté devant le zinc, comme toujours, et j'ai pris mon quart Vichy habituel.

Maigret savait que cela ne servirait à rien de le presser. L'inspecteur parlait avec sa lenteur, son souci d'exactitude qui étaient dans son caractère.

— Dans un coin, sous une horloge réclame, quatre hommes jouaient à la belote... Ils avaient tous un certain âge et il y avait sans doute des années qu'ils faisaient leur partie à la même place, à la même heure...

« J'ai tressailli quand j'ai entendu prononcer :

« — A toi, Brigadier...

« L'homme à qui on s'adressait devait avoir soixante-dix à soixante-quinze ans, mais il était encore vert.

« Trois fois, en l'espace de dix minutes, on s'adressa à lui en lui donnant ce titre de brigadier.

« Il est dans la police? ai-je demandé à mi-voix au patron.

« — Il l'a été pendant quarante ans... Parlez-moi d'un flic à l'ancienne mode... C'était une figure familière du quartier et, pour les gosses, il se montrait comme un père...

« — Il y a longtemps qu'il est à la retraite?

« Au moins dix ans, et il vient chaque jour faire sa partie... Il vit seul, à présent que son fils est marié et habite Meaux... Sa fille est infirmière à l'hôpital Bichat et il a un autre fils qui fait je ne sais quoi, rien de très bon, je pense...

« — Il habite dans les environs?

« — Pas très loin... Rue Tholozé... Juste en face du seul dancing de la rue... Sa femme est morte il y a cinq ans et il fait lui-même sa cuisine et son ménage... Nous en avons beaucoup ici, de petits vieux et de petites vieilles qui vivent seuls d'une modeste pension... »

Maigret connaissait assez Montmartre pour savoir que c'est une ville à part dans la ville. Certaines gens ne descendent jamais plus bas que la place Clichy.

— Vous avez obtenu son adresse exacte?

— J'ai quitté le bistrot afin de ne pas attirer l'attention. L'homme est sorti une demi-heure plus tard et s'est arrêté chez le charcutier pour acheter deux côtelettes...

« Je l'ai suivi jusqu'à la rue Tholozé, de très loin, car il doit être familier avec les filatures... Il est entré dans un immeuble de trois étages qui est juste en face du Tam-Tam, un musette. J'ai téléphoné au poste du XVIIIe pour demander l'aide d'un inspecteur pendant une heure ou deux... Il en est venu un, un jeune, et il monte la garde non loin de la maison... »

Maintenant, il se taisait. Il avait tout dit, à sa manière.

— Tu as entendu, Janvier?

Car celui-ci était entré en même temps que le commissaire dans le bureau.

— Nous y allons?

— Bien entendu.

— Nous prenons des hommes avec nous?

— Ce n'est pas la peine... Il s'agit de mener l'opération aussi discrètement que possible...

Ils prirent une des petites voitures noires qui stationnaient dans la cour de la P.J.

— La rue Tholozé n'est-elle pas à sens unique?

— Fatalement, puisqu'elle se termine par des escaliers...

Ils aperçurent de loin le jeune agent qui se tenait à une certaine distance de la maison.

— Je vais entrer seul, dit Maigret. Il est inutile de l'effaroucher.

Il s'adressa à la concierge, montra sa plaque de police.

— Le brigadier est chez lui?

— M. Colson? C'est vrai que tout le monde continue à l'appeler le brigadier... Il est rentré il y a près de deux heures... Maintenant, il y a des chances pour qu'il soit en train de faire la sieste.

— Quel étage?

— Deuxième, porte à gauche...

Bien entendu, il n'y avait pas d'ascenseur. La maison était vieille, comme presque toutes les maisons de la rue, et il régnait dans l'escalier une épaisse odeur de cuisine.

Il n'y avait pas de bouton de sonnerie et Maigret frappa à la porte.

— Entrez... fit une voix grave.

L'appartement était petit, encombré de meubles qui avaient été ceux de tout un ménage. Dans la chambre à coucher, à droite, il y avait deux lits, dont un avait sans doute servi successivement aux enfants.

Tout était en double, ou en triple. Il n'y avait pas de réfrigérateur mais un garde-manger en treillis accroché à l'extérieur de la fenêtre.

— Ce n'est pas possible!... Le commissaire Maigret, chez moi!... Entrez, je vous en prie... Il y a ici quelqu'un qui va être bien content...

Il fit entrer le commissaire dans une pièce étouffante qui servait à la fois de salle à manger et de salon. Un homme qui ne mesurait pas un mètre cinquante et qui ressemblait à un gamin dont le visage se serait ridé accidentellement, regardait le visiteur avec angoisse.

— Vous l'avez arrêté? demanda-t-il avant tout.

— Pas encore, mais vous ne risquez rien...

Le brigadier Colson intervenait.

— Je lui ai répété dix fois qu'il devait vous appeler et vous dire où il était... Il est arrivé ici tout tremblant... Il est terrorisé par ces frères Mori... C'est bien le nom?... De mon temps, on ne les connaissait pas...

— Ils ont à peine dépassé la trentaine...

— Je prends la télévision, le soir, mais je ne lis pas les journaux... Justin s'est souvenu de moi... Je l'ai connu quand il traînait dans le quartier et qu'il n'avait que de vieilles espadrilles aux pieds...

— Qu'est-ce que vous allez faire de moi?

La Puce était tendu et ne parvenait pas à se détendre.

— Nous allons tous les deux au quai des Orfèvres. Dans mon bureau, nous aurons une conversation en tête à tête. Il est probable qu'à la suite de cet entretien, les frères Mori seront arrêtés...

— Comment m'avez-vous retrouvé?

— C'est l'inspecteur Louis qui a retrouvé votre trace...

— Les autres auraient pu en faire autant...

— Je vous remercie de l'hospitalité que vous lui avez donnée, Brigadier, et j'espère que les côtelettes étaient bonnes...

— Comment savez-vous?...

— Toujours l'inspecteur Louis... Et bonne belote demain matin!...

Il se tourna vers le nabot qui n'était pas encore dégelé :

— Viens, toi...

Le retraité les conduisit jusqu'à la porte et les regarda, non sans une certaine mélancolie, descendre l'escalier.

— Monte dans la voiture...

La Puce se trouva assis à l'arrière avec l'inspecteur Louis.

— Moi qui me croyais si bien caché!... soupira Justin à l'adresse de celui-ci.

— C'est un hasard si j'ai trouvé la piste du brigadier...

Il se tenait aussi loin de la portière que possible, par crainte d'être vu de l'extérieur.

Ils montèrent ensemble les escaliers de la P.J. que la Puce regardait avec une sorte de respect craintif. Maigret hésita sur la marche à suivre : les faire entrer tous les trois dans son bureau ou questionner Justin Crotton en tête à tête.

C'est à ce parti qu'il se décida.

— Je vous vois tout à l'heure... dit-il à Louis et à Janvier... Et toi, entre...

Il avait failli dire « mon petit », mais il se retint à temps.

— Assieds-toi... Tu fumes?

— Oui.

— Tu as des cigarettes?

— Il m'en reste deux...

— Prends ce paquet-ci...

Maigret en avait toujours deux ou trois dans son tiroir pour ses interlocuteurs éventuels.

— Qu'est-ce que vous...

— Un instant.

Car il y avait une note sur son bureau.

« Le laboratoire vous demande de bien vouloir lui téléphoner. »

Il se fit donner la communication avec Moers.

— Vous avez du nouveau?

— Oui. Le laboratoire a bien travaillé. L'homme des textiles s'est rendu chez le plus grand marchand de tapis de Paris... Ses premières impressions ont été confirmées... Les brins de soie proviennent d'un tapis chinois ancien... Il doit dater du XVIe ou du XVIIe siècle... En dehors des musées, il ne doit pas en exister plus de trois ou quatre en France...

« Le marchand ne sait pas qui les possède... Il va se renseigner... Il y a autre chose de plus important... On a retrouvé des traces infimes de sang sur la moquette, à l'endroit où le tapis se trouvait... Ce sang est très dilué d'eau... On a dû laver et relaver la tache, avec une brosse en chiendent, car on a retrouvé aussi une parcelle de chiendent... »

— Est-il possible de déterminer la formule à laquelle appartient ce sang?

— C'est fait. Il s'agit de sang AB.

— Malheureusement, personne n'a eu l'idée d'examiner le sang de M. Maurice avant qu'il ne soit trop tard... A moins que le médecin légiste...

— Oui. Il y a peut-être pensé... Vous avez reçu son rapport?

— Il n'en parle pas...

La Puce regardait le commissaire comme s'il ne pouvait pas encore croire à ce qui lui arrivait. Mais pourquoi ne parvenait-il pas à se détendre? De quoi avait-il encore peur?

Maigret alla ouvrir la porte.

— Janvier, tu vas essayer de joindre le plus vite possible le médecin légiste... Demande-lui de ma part s'il a pensé à analyser le sang de Marcia... S'il ne l'a pas fait, qu'il te dise ce qu'on a fait des vêtements...

Ils étaient une vingtaine d'inspecteurs à taper des rapports à la machine et, au milieu d'eux, Louis se tenait bien droit sur sa chaise, le chapeau sur les genoux.

Rentré dans son bureau, le commissaire s'adressa à la Puce :

— Voyons... Quelle heure est-il?... Quatre heures... Il y a des chances que nous trouvions encore ta copine chez elle...

Et, en effet, c'est la voix de Blanche Pigoud qu'il entendit à l'autre bout du fil.

— C'est toi, Justin?...
— Non... Ici, le commissaire Maigret...
— Vous avez des nouvelles?
— Il est dans mon bureau...
— Il y est allé de lui-même?...
— Non... Il a fallu aller le chercher...
— Où était-il?
— A Montmartre, comme je m'y attendais...
— Vous avez arrêté les...
— Les frères Mori... Non... Une chose à la fois... Je vous passe Justin...
Il fit signe à celui-ci de prendre l'appareil.
— Allô... C'est toi?...
Il était tout gauche, impressionné.
— Je ne sais pas encore... Il n'y a guère plus d'un quart d'heure que je suis ici et on ne m'a encore posé aucune question... Je me porte bien, oui... Non... Je ne sais pas quand je rentrerai... Au revoir...
— Vous ne l'attendrez plus très longtemps, dit Maigret en prenant le combiné qu'on lui tendait. Vous voilà en tout cas rassurée...
Après avoir raccroché, il alluma lentement sa pipe en regardant Justin Crotton avec attention. Il ne s'expliquait pas la nervosité que celui-ci continuait à manifester.
— Tu trembles toujours comme ça?
— Non.
— Pour le moment, ici, dans mon bureau, de quoi as-tu peur? De moi?
— Peut-être.
— Pourquoi?

— Parce que vous m'impressionnez... Tout ce qui touche à la police m'impressionne...

— C'est pourtant chez un ancien brigadier qu'en dernier lieu tu es allé chercher refuge...

— Pour moi, le brigadier Colson n'est pas un vrai policier... Je l'ai connu quand j'avais à peine seize ans et c'est grâce à lui que je n'ai jamais été inculpé de vagabondage.

— Tandis que moi...?

— Vous êtes tellement important...

— Comment as-tu su que Line Marcia était la maîtresse de Manuel?...

— Tout le monde le savait dans les boîtes du quartier...

— Et, pendant trois ans, M. Maurice n'en a rien su?

— A ce qu'il paraît...

— Tu n'en es pas sûr?

— C'est toujours le principal intéressé qui reste dans l'ignorance, n'est-ce pas? M. Maurice était un homme riche, influent. Personne, je crois, n'aurait osé aller lui dire en face :

« — Votre femme vous trompe avec un de vos amis... »

— Marcia et les frères Mori étaient amis?

— Depuis quelques années, oui...

— Comment le sais-tu?

— Parce que les frères Mori fréquentaient régulièrement la Sardine et que M. Maurice venait s'asseoir à leur table. Il leur arrivait de rester après la fermeture...

— Ils allaient aussi rue Ballu?

— Je les ai vus y entrer plusieurs fois...

— Quand Marcia était chez lui?

— Oui.

— Comment se fait-il que tu saches tout ça?

— Parce que je rôde par-ci par-là... J'ai de grandes oreilles... J'écoute ce qui se dit... On ne se méfie pas de moi...

— Tu es allé souvent à la Sardine?

— Au bar, oui... Freddy est presque un copain...

— Je ne crois pas qu'il le soit encore...

— Le soir du meurtre, je me trouvais rue Fontaine quand M. Maurice est sorti précipitamment, à une heure tout à fait inhabituelle pour lui.

— Quelle heure?

— Un peu plus de minuit... Il n'a pas pris sa voiture et il s'est dirigé à pas rapides vers le square La Bruyère...

— Tu savais que sa femme se trouvait dans l'appartement de Manuel?

— Oui.

— Comment savais-tu qu'elle y était justement ce soir-là?

— Parce que je l'avais suivie...

— En somme, ta manie est de suivre les gens et de les observer?

— J'ai toujours rêvé de devenir policier... Ma taille m'en a empêché... Peut-être aussi mon manque d'instruction...

— Bon... Tu suis M. Maurice... Il pénètre chez Manuel... Il y avait de la lumière aux fenêtres?...

— Oui...

— Depuis combien de temps Line était-elle là?

— Une petite heure.

— Tu n'es pas entré dans l'immeuble?

— Non.

— Tu devinais ce qui allait se passer?

— Oui... Sauf que je ne savais pas lequel des deux serait tué...

— Tu as entendu le coup de feu?

— Non... Les locataires non plus, ou bien ils ont cru que c'était l'échappement d'une voiture...

— Continue...

— Après un quart d'heure environ, Mme Marcia est sortie de la maison et est rentrée chez elle à pas pressés...

— Tu l'as suivie?

— Non... Je préférais rester...

— Que s'est-il passé ensuite?

— Une voiture est arrivée en trombe et j'ai failli me faire pincer. C'était l'autre Mori, Jo... Son frère avait dû lui téléphoner pour lui demander de venir d'urgence...

Maigret suivait ce récit avec un intérêt croissant. Jusqu'ici, il n'y avait pas relevé de faille, mais il n'y en avait pas moins chez lui une sorte de malaise assez vague.

— Ensuite?

— Les deux hommes sont sortis en portant un tapis roulé qui contenait quelque chose de lourd...

— Le corps de Marcia?

— C'est à peu près sûr. Ils ont hissé le colis dans la voiture et ils ont démarré dans la direction de la place Constantin-Pecqueur. Moi, je n'avais pas d'auto et je ne pouvais pas les suivre.

— Qu'as-tu fait?

— Je suis resté là, à attendre.

— Ils sont restés longtemps absents?

— Près d'une demi-heure.

— Ils ont ramené le tapis?

— Non. Je ne l'ai plus revu. Ils sont montés tous les deux dans l'appartement et Jo n'est sorti qu'une heure plus tard...

Cela se tenait. Les deux hommes avaient d'abord porté le corps dans la partie la plus sombre de l'avenue Junot. Quant au tapis, il y avait des chances pour qu'ils l'aient jeté dans la Seine.

De retour square La Bruyère, ils avaient effacé avec soin les traces de ce qui s'était passé.

— Qu'est-ce que tu as fait ensuite?

— J'ai attendu le lendemain avant de téléphoner à l'inspecteur Louis.

— Pourquoi à lui et pas au commissariat, par exemple, ou à la P.J.?

— Parce que ça m'impressionne...

Et il était réellement impressionné.

— Ce n'était pas la première fois que tu lui téléphonais?

— Non. Il y a longtemps que je lui donne ainsi des informations... Je le connais de vue... Nous fréquentons à peu près les mêmes endroits... Il est toujours seul...

— Pourquoi as-tu disparu?

— Parce que je me suis douté que les frères Mori penseraient à moi...

Maigret fronçait les sourcils. C'était la partie la moins convaincante de cette déposition.

— Pour quelle raison auraient-ils pensé à toi. Tu as été en rapport avec eux?

— Non... Mais ils m'ont vu dans les bars... Ils savent que je rôde dans tous les coins de Montmartre et que je suis bien renseigné...

— Non, laissa soudain tomber Maigret.

La Puce le regarda avec ahurissement, puis avec crainte.

— Qu'est-ce que vous voulez dire?

— Il en aurait fallu plus que ça pour qu'ils prennent la décision de te descendre...

— Je vous jure...

— Tu ne leur as jamais adressé la parole?

— Jamais... Vous n'avez qu'à le leur demander...

Il mentait et Maigret le sentait, sans en avoir la preuve.

— Eh bien, on va les arrêter. En attendant, viens avec moi dans le bureau voisin.

-:-

— Reste tranquillement ici et attends-moi... Il y a peut-être un des inspecteurs qui a un journal à te prêter...

— Je n'aime pas lire...

— Bon... Ne te fais pas de mauvais sang...

Maigret fit signe à Janvier de le suivre dans son bureau.

— Tu as eu l'Institut médico-légal?

— J'ai pu avoir le docteur Bourdet lui-même à l'appareil... Les vêtements et le linge sont restés là-bas... Le sang est du groupe AB...

— Comme celui qu'on a relevé sur le tapis...

— Il paraît seulement que dans nos pays c'est le plus fréquent...

— Je monte chez le juge d'instruction et ensuite j'aurai sans doute besoin de toi et de Lucas... De Lapointe aussi...

Maigret se retrouva dans le long couloir des juges d'instruction où presque tous les bancs étaient occupés par des gens qui attendaient leur tour de comparaître. Les uns, entre deux gendarmes, avaient les menottes aux poings. D'autres étaient des prévenus libres ou des témoins et avaient le regard moins fixe.

Maigret frappa à la porte du juge Bouteille, entra, trouva le magistrat en train de dicter à son greffier.

— Je vous demande pardon...

— Asseyez-vous. Ce ne sont jamais que des paperasses administratives... Vous vous êtes servi de mes mandats?

— Seulement du mandat de perquisition... Un ancien tapis persan a disparu de la chambre à coucher de l'aîné des frères Mori... La moquette, restée à découvert, portait quelques taches qui se sont révélées des taches de sang... Du sang AB... Or, les vêtements de Marcia, examinés par le docteur Bourdet, portent aussi, à l'endroit de la blessure, du sang de la même formule...

— Ce n'est pas une preuve, vous vous en rendez compte...

— C'est un indice... C'en est un autre que, dès le soir de l'enterrement, Mori soit allé coucher rue Ballu et que les deux frères prenaient en quelque sorte possession de la Sardine...

— Vous avez retrouvé cette espèce de nabot?... Quel est encore son surnom?...

— La Puce... Il est en bas, sous bonne garde... Il confirme qu'il a vu, un peu après minuit, M. Maurice entrer dans l'immeuble du square La Bruyère, où habite l'aîné des Mori... Un quart d'heure plus tard, Line Marcia en est sortie et s'est dirigée à pas rapides vers son domicile... Enfin, le plus jeune des Mori est arrivé en voiture, comme appelé en renfort par téléphone...

« Une demi-heure plus tard, les deux frères descendaient, portant un lourd ballot qu'ils ont hissé dans la voiture...

« La Puce n'a pas pu les suivre jusqu'à l'avenue Junot, faute de voiture, mais il est formel... Le corps était enveloppé d'un tapis multicolore... »

— Vous avez l'intention de les arrêter?

— Cet après-midi... Je voudrais cependant un autre mandat, celui-ci au nom de Mme Line Marcia...

— Vous croyez qu'elle...?

— Elle est certainement complice... Je la soupçonne d'avoir passé l'arme à son amant... Je me demande même si ce n'est pas elle qui a tiré...

Le magistrat se tourna vers son greffier.

— Vous avez entendu... Etablissez le mandat... J'ai l'impression qu'ils vont être coriaces...

— Je m'y attends aussi. Et ce serait imprudent de les envoyer sans de solides preuves devant les assises, car ils vont se payer, non seulement les meilleurs avocats de Paris, mais tous les faux témoins dont ils auront besoin...

Un peu plus tard, Maigret rentrait dans son bureau et faisait un geste qui ne lui était pas habituel : il prenait son automatique dans un tiroir et le glissait dans sa poche.

Ensuite, il appelait Lucas, Janvier et Lapointe.

— Entrez, mes enfants... Cette fois-ci on joue le tout pour le tout... Toi, Janvier, tu viens avec moi... Va chercher ton pistolet car, avec ces gens-là, il faut tout prévoir...

« Vous deux aussi... dit-il à Lucas et à Lapointe... Vous irez rue du Caire... Vous avez toutes les chances d'y trouver le jeune Mori... Sinon, essayez son domicile, l'Hôtel des Iles, avenue Trudaine...

« Enfin, s'il n'est pas là non plus, essayez la Sardine... Voici le mandat d'amener qui le concerne... Emportez aussi une paire de menottes... Toi aussi, Janvier... »

Ils se séparèrent dans la cour et les deux voitures se dirigèrent vers leurs destinations.

— Où allons-nous?

— D'abord chez Manuel...

La concierge leur dit qu'il ne devait pas être là mais que la femme de ménage y était certainement. Ils montèrent. La femme de ménage était d'une maigreur effrayante et on se demandait comment elle tenait sur ses jambes. Elle avait une soixantaine d'années et elle devait être malade. L'expression de son visage était amère, agressive.

— Qu'est-ce que vous voulez?

— M. Manuel Mori.

— Il n'est pas ici.

— A quelle heure est-il sorti?

— Je n'en sais rien.

— Il n'a pas couché dans son lit, n'est-ce pas?

— Cela ne vous regarde pas.

— Police.

— Police ou pas police, cela ne vous regarde pas dans quel lit un homme couche.

— Vous avez remarqué que le tapis qui se trouvait dans la chambre à coucher a disparu?

— Et après?... S'il y a fait un trou avec une cigarette et s'il l'a envoyé à réparer, c'est son affaire...

— Votre patron est aimable avec vous?

— Comme un mur de prison...

Ils étaient bien faits pour s'entendre.

— Alors, vous restez là? Moi, je continue à passer l'aspirateur, car je n'ai pas de temps à perdre...

Quelques minutes plus tard, les deux hommes s'arrêtaient devant le domicile de feu Marcia.

— Mme Marcia est là-haut? demanda Maigret à la concierge.

— Je crois qu'elle n'est pas sortie... Quoiqu'il soit toujours possible de passer par la porte du jardin qui reste ouverte...

— Jour et nuit?

— Oui.

— De sorte que vous ne savez pas qui entre et qui sort?

— Peu de locataires se servent de cette porte-là...

— J'ai l'impression que Mme Marcia n'est pas restée seule, la nuit dernière?

— J'en ai l'impression aussi...

— Avez-vous vu sortir un homme depuis ce matin?

— Non... Il y a des chances pour qu'il soit encore là-haut... D'après la femme de chambre, on peut s'attendre à ce qu'il soit un nouveau locataire...

— A qui la femme de chambre était-elle dévouée?

— Plutôt à M. Maurice...

— Je vous remercie...

Maigret et Janvier montèrent au premier. Maigret sonna et il se passa quelques minutes avant qu'on ne réponde.

— Mme Marcia, s'il vous plaît...

— Je ne sais pas si elle pourra vous recevoir... Entrez toujours...

Elle les fit entrer dans le grand salon, qui avait retrouvé son aspect habituel.

— Il faudra que nous revenions ici avec des

experts en mobilier ancien, murmura Maigret tandis qu'ils attendaient.

Au lieu de Line, ce fut Manuel Mori qui vint se camper dans l'encadrement de la porte.

— Encore vous!

— J'avais demandé Line Marcia...

— Elle n'a aucune envie de vous recevoir et moi je vous empêcherai de la tracasser...

— Je vais pourtant vous tracasser tous les deux. Au nom de la loi, je vous arrête...

— Ah! oui... Le fameux mandat...

— Cette fois, il y en a un autre, au nom de Line Marcia, née Polin...

— Vous avez osé...

— J'ai osé et je vous conseille de ne faire aucune obstruction... Cela pourrait vous coûter très cher...

Manuel eut un geste pour porter la main à sa poche, où on devinait la forme d'un revolver. Maigret dit doucement :

— Bas les pattes, petit...

L'amant de Line était pâle.

— Tu ferais mieux de le tenir en joue, Janvier...

Lui-même cherchait un bouton de sonnerie et il en trouva un près de la cheminée monumentale. Il le pressa. Quelques instants plus tard, la femme de chambre s'arrêtait, interdite, sur le seuil du salon.

— Allez me chercher Mme Marcia... Dites-lui de prendre avec elle des vêtements, du linge et des objets de toilette pour un certain nombre de jours...

Elle arriva quelques instants plus tard, les mains vides.

— Qu'est-ce que c'est cette...

Elle s'arrêta en voyant Janvier pistolet au poing.

— Voici un mandat qui vous concerne... Je viens vous arrêter tous les deux...

— Mais je n'y suis pour rien, moi!...

— Vous avez tout au moins assisté au meurtre et vous avez tenté de couvrir le responsable... Cela s'appelle complicité...

— Si chaque fois qu'une femme a un amant elle risque...

— Tous les amants ne font pas un carton sur le mari... Allez chercher quelques affaires... Un instant... Donnez-moi votre arme, Manuel...

Celui-ci hésita. Son visage prit une expression dure et Maigret s'attendait à tout, le regardait fixement dans les yeux.

Une main finit par lui rendre l'arme.

— Reste avec lui, Janvier... Je n'aime pas laisser aller la femme seule... Je ne serais pas sûr de la retrouver...

— Il faut que je me change...

— Vous ne serez pas la première femme que je verrai se changer... Que portiez-vous sur vous quand vous dansiez au Tabarin?...

L'atmosphère était lourde et de la menace traînait encore dans l'air. Maigret suivit Line jusqu'au fond du hall et elle pénétra dans une chambre gris perle et jaune meublée en Louis XVI. Le lit était défait. Sur une petite table, il y avait une bouteille de whisky et deux verres à moitié pleins.

Il la croyait capable de tout, même de saisir la bouteille et de la lui fracasser sur la tête...

Il lui versa une large ration d'alcool et mit la bouteille hors de sa portée.

— Vous n'en voulez pas?

— Non. Préparez-vous...

— Combien de temps croyez-vous que nous serons absents? Peut-être vaut-il mieux dire que je serai absente.

— Cela dépendra.

— De qui?

— De vous et du juge d'instruction...

— Qu'est-ce qui vous a décidé tout à coup à nous arrêter alors qu'hier il n'en était pas question?...

— Mettons que, depuis hier, nous ayons fait d'importantes découvertes...

— Vous n'avez certainement pas retrouvé l'arme qui a tué mon mari...

— Vous savez très bien que cette arme est dans la Seine, comme le tapis imbibé de sang...

— A quelle prison allez-vous nous conduire?

— Au Dépôt d'abord, dans le sous-sol du Palais de Justice...

— N'est-ce pas là qu'on met les prostituées?

— A l'occasion, oui...

— Et vous osez...

Maigret désigna le lit.

— Vous n'avez même pas laissé à ce lit-là le temps de refroidir...

— Vous êtes un affreux personnage...

— Pour le moment, oui. Dépêchez-vous...

Elle le fit exprès, en un tournemain, comme par défi, de se mettre nue.

— J'ai envie de prendre une douche... Cela ne doit pas exister là où je vais...

Elle avait un beau corps souple de danseuse, mais le commissaire n'était même pas émoustillé.

— Je vous donne cinq minutes...

Et il alla se tenir à la porte de la salle de bains qui avait une autre issue.

Il fallut près d'un quart d'heure pour qu'elle soit prête. Elle mit le même tailleur noir que la veille, le même chapeau blanc. Elle avait fourré un peu de linge dans une mallette, ainsi que des objets de toilette.

— Je vous suis, puisqu'il n'y a pas moyen de faire autrement. J'espère que cela vous coûtera cher...

Ils retrouvèrent les deux hommes au salon. On voyait bien, au regard surpris de Manuel, qu'il se demandait pourquoi sa maîtresse les avait fait attendre si longtemps. Savait-il, lui aussi, qu'elle était capable de tout?

— Les menottes, Janvier...

— Vous allez me passer les menottes? questionna Manuel, qui était devenu blême et qui levait déjà le poing.

Il était beaucoup plus fort que Janvier, mais un regard appuyé de Maigret lui fit abaisser le poing et les menottes claquèrent.

— J'espère que vous n'allez pas lui en mettre aussi?

— Seulement si cela devient nécessaire...

La femme de chambre vint leur ouvrir la porte de sortie, un drôle de sourire aux lèvres.

— Descendez...

Il fit entrer Mori à l'arrière de la voiture et il s'y installa également tandis que la jeune femme occupait le siège avant à côté de Janvier. Ils ne tentèrent ni l'un ni l'autre de s'évader, ce qui n'aurait d'ailleurs pas réussi.

— Et mon frère?

— Il doit déjà être à la P.J. A moins qu'on n'ait eu de la peine à mettre la main sur lui...

— Vous avez envoyé vos hommes rue du Caire?

— Oui.

— Il devait y être... Mon frère n'y est pour rien... Je ne l'ai même pas vu cette nuit-là...

— Vous mentez...

— Vous aurez à prouver le contraire...

La voiture pénétra dans la cour et tous les quatre gravirent l'escalier.

— Dans mon bureau, Janvier...

La fenêtre était restée ouverte. L'orage, maintenant, paraissait proche, et on aurait juré qu'il pleuvait déjà sur le quartier Montparnasse.

— Asseyez-vous tous les deux... Toi, Janvier, vois donc si Lucas et Lapointe sont rentrés...

L'inspecteur revint l'instant d'après.

— Il est à côté, sous bonne garde.

— Fais-le entrer...

Jo était aussi rageur que son aîné.

— Je porterai plainte...

— C'est cela. Vous direz ça au juge d'instruction...

— Combien de temps comptez-vous nous garder?

— Cela dépendra des jurés. L'un de vous risque d'en avoir pour vingt ans ou davantage... Vous, vous allez quand même avoir à tirer quelques années...

— Je n'ai rien fait...

— Je sais que vous n'avez pas tiré, mais je sais aussi que, quand votre frère vous a téléphoné au milieu de la nuit, vous l'avez aidé à descendre le corps de Marcia dans votre voiture et à aller le déposer avenue Junot...

— C'est faux...

— Janvier!... Fais entrer la personne qui attend...

— S'il s'agit de lui...

— Il s'agit justement de lui... Entrez, Justin... Asseyez-vous...

Janvier restait debout, comme pour les surveiller, tandis que Lapointe, au bout du bureau, prenait l'interrogatoire en sténo.

— C'est ça que vous appelez un témoin? grommela un Manuel plus hargneux que jamais. Pour cent francs on l'achète et on lui fait dire ce qu'on veut...

Maigret feignit de ne pas avoir entendu et se tourna vers Line.

— Voulez-vous me dire, Madame, si la nuit de lundi à mardi vous vous êtes trouvée dans un appartement du square La Bruyère occupé par Manuel Mori ici présent.

— Cela ne vous regarde pas.

— Dois-je déduire de cette attitude que vous êtes décidée à ne répondre à aucune question?

— Cela dépendra des questions...

Son amant la regardait en fronçant les sourcils.

— Vous admettez pourtant être la maîtresse de cet homme?

— Je suis la maîtresse de qui me plaît et il n'y a pas encore, à ma connaissance, d'article du Code qui me l'interdise.

— Où avez-vous dormi la nuit dernière?

— Chez moi.

— Avec qui?

Même réponse.

— Saviez-vous que votre amant avait une arme chargée dans ou sur sa table de nuit?

Aucune réponse.

— Je me permets d'insister sur cette question, dans votre propre intérêt, car elle est très importante. Pour vous en particulier.

« Quand votre mari a sonné, vous étiez couchée, nue, sous les draps. Manuel a passé une robe de chambre pour aller ouvrir, mais il n'avait pas pris son pistolet...

« Votre mari, lui, avait une arme à la main... Il s'est dirigé tout de suite vers la chambre à coucher et il a retiré le drap... De quoi il vous a traitée, je n'en sais rien... Il s'est ensuite tourné vers Manuel... Celui-ci s'est approché du lit et, l'instant d'après, il avait un pistolet à la main... Il a tiré le premier... Cela, c'est la première version... Au cours de la reconstitution, qui aura lieu prochainement, on verra si elle se tient...

« Il existe une autre hypothèse, tout aussi plausible... Vous saviez où était l'arme... Votre mari était prêt à tirer sur votre amant et vous avez tiré la première... Qu'en dites-vous? »

— Je dis que c'est de la folie pure. Il aurait d'abord fallu que je me trouve là. Ensuite que...

Sans l'écouter, Maigret se tourna vers Manuel.

— Et vous, qu'est-ce que vous en dites?

L'aîné des Mori avait le visage sombre et il finit par hocher la tête.

— Je n'en dis rien.

— Vous ne protestez pas contre cette théorie?

— Je répète que je ne dis rien...

— C'est comme ça que tu me lâches?... Eh bien, mon petit, cela ne va pas attendre longtemps...

— Tu remarqueras que je n'ai rien dit.

— Tu aurais pu nier, non?

— Je parlerai peut-être plus tard, devant le juge d'instruction, en présence de mon avocat...

— Et, en attendant, c'est moi qui trinque... Ecoutez, Monsieur le Commissaire...

Elle s'avançait, furieuse, vers le bureau de Maigret, et se mettait à parler en gesticulant. Ce n'était plus l'élégante Line Marcia mais une femelle déchaînée.

CHAPITRE

7

— C'EST VRAI QUE j'étais Square La Bruyère, ce n'est pas la peine de le nier car le concierge nous a vus, tout ivre qu'il était, et ce n'est pas avec une bouteille de cognac que Manuel a pu l'acheter pour longtemps. Il y a aussi, sans doute, mes empreintes digitales un peu partout, des traces de poudre ou de crème, que sais-je?

« Voilà trois ans que ça dure, que j'allais là-bas au moins deux fois par semaine...

« Et ce petit voyou, cet avorton vicieux, là, dans son coin, doit être au courant.

« Quant à Manuel, il savait ce qu'il faisait en devenant mon amant. Ce n'est pas moi qu'il voulait, mais la succession de mon mari... »

Elle était déchaînée, parlait d'une façon saccadée.

— Quand Maurice s'est occupé de lui, il n'était qu'un petit souteneur à la manque... Ce que vous ne savez pas, j'en suis sûre, c'est que c'est Maurice le grand patron...

Maigret fumait à petites bouffées en évitant

d'interrompre ce flot de paroles. Line parlait sous le coup de la passion, ou plutôt de la peur. De temps en temps, elle se tournait vers Manuel et le regardait avec haine.

Voilà, quelques heures encore, ils étaient amants et complices tout à la fois.

A présent, c'était à qui rejetterait les responsabilités sur l'autre.

— Janvier, enlève-lui les menottes...

— Enfin! On y pense... Il me serait difficile de m'échapper d'ici, je suppose?...

Manuel avait perdu de sa superbe et se contentait de ricaner.

La Puce se tenait immobile sur sa chaise, dans le coin le plus éloigné des frères Mori. Il avait toujours l'air effrayé et, même si Manuel était momentanément démonté, il le regardait encore avec terreur.

Il l'avait craint si longtemps, le considérant comme une sorte de surhomme, qu'il ne parvenait pas à se débarrasser de sa peur.

— Je mangerai le morceau, comme on dit... continua-t-elle. Nous étions au lit. On a sonné...

— Vous ne vous y attendiez pas?

Elle eut une seconde d'hésitation.

— Non. Pourquoi me serais-je doutée que mon mari viendrait justement cette nuit-là?

— Il n'était pas au courant de votre liaison, lui qui savait tout ce qui se passait dans le quartier Pigalle...

— Pourquoi aurait-il attendu trois ans? S'il était au courant, il jouait bien son jeu, car il était jaloux à en devenir idiot...

— Avez-vous l'impression que Manuel, lui, s'attendait à cette visite?...

Cette fois, le silence fut plus long.

— Franchement, je ne sais pas... Il s'est levé et a passé sa robe de chambre qui se trouvait sur le dossier d'un fauteuil... Puis il a pris son pistolet dans le tiroir de la table de nuit et il l'a fourré dans sa poche...

— Elle ment, Commissaire... La robe de chambre est en soie légère. Une arme se serait vue à travers le tissu... Ecoutez-moi bien... J'ai dit que je ne parlerais qu'en présence de mon avocat et c'est exact... Je vous demande seulement de vous méfier de tout ce que vous dit cette femme et de vérifier...

« Sur un point tout au moins, je peux dès maintenant vous dire la vérité... C'est elle qui, quand j'ai commencé à fréquenter Maurice, s'est jetée à mon cou... Elle me répétait que c'était un vieillard, qu'il était fini... Un vieux maniaque, c'était son expression... »

— C'est lui, au contraire, qui...

Manuel se leva à son tour.

— Restez assis...

La scène devait être presque cocasse pour un observateur indifférent. Maigret, dans son fauteuil, face à une rangée de pipes, était aussi inexpressif qu'une figure de cire du Musée Grévin. Il les regardait tour à tour, enregistrant les réactions de chacun.

La Puce tremblait toujours dans son coin, comme si un danger le menaçait personnellement.

Le plus jeune des deux frères écoutait sans

intervenir. Pour le moment, ce n'était pas tant l'affaire Marcia qui se jouait, mais c'était une âpre et impitoyable dispute entre deux amants.

« — Le jour où tu voudras, tu prendras sa succession...

« Voilà ce qu'elle disait. Elle est ambitieuse, avide... Elle avait commencé tout en bas de l'échelle, car elle a fait la retape place Pigalle avant de travailler au Tabarin... »

C'était un peu écœurant et le pauvre Lapointe essayait, tout en prenant des notes, de cacher son indignation.

— Elle avait déjà l'idée de le tuer? demanda Maigret d'une voix paisible, comme si c'était la question la plus naturelle du monde.

— En tout cas, c'est une idée qui lui est venue dès les premiers mois...

— Vous l'en avez dissuadée?

— Ce n'est pas vrai, Monsieur le Commissaire. C'est lui qui est devenu mon amant tout exprès pour chausser un jour les pantoufles de mon mari...

— Encore une fois, celui-ci ne se doutait de rien?

— Il avait confiance en moi. D'ailleurs, c'était la première fois que je le trompais...

— C'est faux... Elle a même couché avec Freddy, le barman... Il pourra en témoigner...

Elle se tourna une fois de plus vers lui, haineuse, comme si elle allait lui cracher à la figure.

— Les choses seraient plus faciles, Madame, si vous repreniez place sur votre chaise...

— J'ai vu comment vous examiniez les meubles et les tableaux, rue Ballu. Je suis persuadée que vous avez compris et que vous allez les faire expertiser. On découvrira fatalement le pot aux roses...

« Mais ce n'était pas une idée de ce minable... »

C'était Manuel qui était devenu le minable!

— Le gang des châteaux, comme on l'a appelé, c'était une idée de mon mari et c'est lui qui l'a organisé... Il y avait six ou sept hommes de confiance dispersés à travers la France... On leur faisait signe quand une opération était prévue et ils se rendaient au rendez-vous qu'on leur donnait...

« Les frères Mori étaient sur place, avec leur camion et quelques cageots pour donner le change... »

— Que devenaient les meubles et les différents objets de valeur quand Maurice et Manuel s'étaient servis?

— Ils retournaient en province, chez des antiquaires marrons... Ose dire que ce n'est pas vrai?

— C'est la seule chose vraie, Commissaire, qu'elle ait dite depuis que nous sommes ici... Il est impossible de le nier puisque les fournitures seront expertisées...

— C'est quand même vous qui dirigiez les opérations.

— Sur place, oui... Mais les ordres venaient de Maurice... Il ne prenait pas de risques... Dans son restaurant, il jouait les truands repentis et il y avait des magistrats qui lui serraient la main...

— C'était une bonne affaire?

— Une affaire d'or...

— Que vous avez essayé de vous approprier...

— L'idée est venue d'elle.

— Vous en êtes certain?

— C'est ma parole contre la sienne. Vous en conclurez ce que vous voudrez... Je regrette d'avoir jeté le pistolet dans la Seine, car ce sont ses empreintes digitales et non les miennes que vous auriez découvertes...

— Vous ne voyez pas qu'il ment de sang-froid?

Au moment où on s'y attendait le moins, Maigret se tourna vers la Puce qui devint blême.

— A quelle heure avez-vous téléphoné?

CHAPITRE

8

— UN PEU AVANT minuit, balbutia-t-il.

— Que lui avez-vous dit?

— La vérité.

— Quelle vérité?

— Que sa femme et Manuel étaient dans l'appartement...

— Pourquoi cette idée vous est-elle venue?

Justin détourna la tête et il avait presque l'air boudeur d'un écolier pris en faute.

— Répondez...

— Je ne sais pas... Je voulais me venger...

— De quoi?

— De tout... J'ai essayé d'entrer dans la bande, il y a deux ans... Je savais comment ils travaillaient... Je sais à peu près tout ce qui se passe dans le quartier Pigalle et sur la Butte...

« J'ai demandé à Manuel Mori de m'embaucher et il m'a répondu qu'il n'avait pas besoin d'un avorton de mon espèce... »

Ce fut au tour de Manuel de prononcer :

— Il ment...

Les pipes de Maigret se succédaient et l'air était bleu de fumée.

— Vous pouvez fumer aussi, dit-il.

— Et moi? questionna Line.

— Egalement.

— Je n'ai pas de cigarettes et je n'en veux pas de cette crapule...

Il lui tendit un paquet qu'il prit dans son tiroir mais il n'alla pas jusqu'à lui allumer sa cigarette. Elle avait les mains qui tremblaient tellement qu'elle eut du mal à le faire et qu'il lui fallut trois allumettes.

— Quelle est votre vérité à vous, Manuel?

— Il ne m'a jamais fait de propositions et je ne le connaissais que pour le rencontrer parfois dans les rues de Montmartre... Tout le monde savait qu'il était un mouchard...

— Ce n'est pas vrai...

— Un à la fois. Parlez, Justin.

— J'ai téléphoné pour me venger du mépris de cet homme...

— D'où avez-vous téléphoné?

— De la cabine téléphonique la plus proche. Je pouvais voir de loin les lumières du restaurant.

— Vous saviez que vous alliez déclencher un drame?

— Pas d'une façon certaine...

— Mais cette perspective ne vous déplaisait pas?

— Non...

— S'il avait été question de quelqu'un d'autre, vous auriez fait la même chose?...

Cette question le laissa un peu désemparé. Il dut réfléchir.

— Je ne sais pas, avoua-t-il.

— N'était-ce pas votre taille et votre visage, sur lequel les gens se retournaient, que vous vengiez...

— Je ne sais pas, répéta-t-il.

— Faites attention à la question que je vais vous poser. Vous venez de mentir, parce que vous avez peur de Manuel...

La panique prit à nouveau le nabot comme si, même ici, les frères Mori restaient tout-puissants.

— J'ai dit ma vérité...

— Non. La vérité est que vous avez été payé pour donner ce coup de téléphone à une heure déterminée...

— Qui est-ce qui m'aurait payé?

— Manuel, justement...

— Je proteste, s'écria celui-ci... Je voudrais bien savoir pourquoi je me ferais prendre en flagrant délit par le mari de ma maîtresse...

Et voilà que Justin se mettait enfin à parler.

— Il m'a donné mille francs... Il m'a menacé de me faire descendre si j'avais le malheur de dire un mot... Il a ajouté :

« — J'ai des hommes partout, qui feront le nécessaire si j'en étais dans l'incapacité...

« Cela me faisait de la peine pour M. Maurice, que j'aimais bien... »

— Tu as obéi quand même...

— Je n'avais pas envie de recevoir une balle dans la peau...

— Tu n'as pas pensé que M. Maurice pourrait bien tirer le premier?

— Du moment que cet homme-ci...

Il désignait Manuel de la main.

— Du moment que cet homme-ci avait décidé la façon dont cela se passerait, cela devait se passer ainsi... C'est une sorte de diable...

Maigret ne put s'empêcher de sourire et Line reprit le rôle de premier plan.

— Vous voyez, Commissaire, que je ne mentais pas... Je n'étais pas au courant de ce coup de téléphone... Je ne m'attendais donc pas à l'irruption de mon mari et par conséquent je n'avais pas d'arme...

— C'est faux!... Elle ment comme on respire... L'idée du coup de téléphone, c'est d'elle... Je l'entends encore me dire :

« — Si tu l'abats ou si tu le fais abattre n'importe où, c'est toi qu'on finira par accuser, car la police sera vite au courant de nos relations... Suppose au contraire qu'il nous prenne en flagrant délit, comme on dit... Je le connais... Il ne viendra pas sans arme... Il te menace, ou bien c'est moi qu'il menace... Dans les deux cas, il y a légitime défense... »

— Cela ne prouve pas que ce n'est pas vous qui avez tiré...

Elle eut des larmes de rage.

— Mais que faut-il donc faire pour que vous me croyiez?

— Ce n'est pas à moi de vous croire.

Encore une fois, ce sont les jurés qui décideront...

— Je n'ai jamais tenu une arme de ma vie...

— C'est faux, intervint Manuel. A Bandol, je l'ai vue tirer sur les mouettes...

— Avec un pistolet?

— Le pistolet de son mari.

— Et elle les atteignait?

— Elle en a abattu plusieurs devant moi...

— Justin...

— Oui, Monsieur le Commissaire...

— Quand et où Manuel vous a-t-il parlé du coup de téléphone?

— La nuit du meurtre, rue Pigalle... Je venais de conduire Blanche au Canari... J'y vais tous les jours à la même heure...

— Il vous a dit que vous deviez téléphoner vers minuit?

— Oui...

— Vous voyez! s'écria Line. Je ne savais même pas où trouver la Puce et Manuel a eu soin de ne pas me parler de ce coup de téléphone...

Maigret avait soif. Il aurait donné gros pour faire monter de la bière, mais il aurait fallu en commander pour tout le monde.

Il avait obtenu un résultat important, le plus important. Les deux amants, en se dressant l'un contre l'autre, ne niaient plus le meurtre de M. Maurice dans l'appartement du square La Bruyère.

Quant à la culpabilité de l'un ou de l'autre,

Maigret n'y attachait pas beaucoup d'importance. Ce n'était pas seulement le coup de pistolet qui comptait, mais ce qui s'était passé avant, c'est-à-dire sa préparation.

Il se tourna vers Manuel qui fumait une cigarette et qui avait une expression de défi sur le visage :

— Pourquoi, alors que vous aviez organisé un drame passionnel, avez-vous appelé votre frère afin d'aller avec lui porter le corps avenue Junot?

— C'est la preuve, justement, que je n'ai pas tiré. Si j'avais tiré, je l'aurais admis, car j'aurais été en état de légitime défense... Mais, du moment que c'était Line, c'était plus difficile à faire croire... Je lui ai dit de rentrer chez elle et je lui ai promis de faire le nécessaire...

Maigret regardait tour à tour les deux amants. Ils étaient aussi capables de mentir l'un que l'autre. Mori était un cynique que rien n'avait pu arrêter. Mais Line avait-elle plus de sincérité que lui?

Une voix croassante vint du coin où se tenait la Puce.

— C'est lui! disait la voix.

— Vous l'avez vu?

— J'ai entendu.

— Où étiez-vous?

— J'avais suivi M. Maurice au troisième étage. J'étais caché sur le palier. A un moment donné, j'ai entendu la voix de la femme qui criait :

« — Mais tire donc!... Tu ne vois pas qu'il va me tuer...

« Elle n'avait pas encore prononcé le dernier mot que j'entendais une détonation... Je suis descendu en hâte... »

Il y eut un silence. La Puce avait maintenant un étrange sourire sur sa bouche immense.

Manuel parla le premier :

— Il ment. Maurice n'a pas fait mine de tirer sur elle...

— Il invente, disait Line. Aucun mot n'a été prononcé...

Maigret se leva, les regarda tour à tour d'un œil lourd.

— Personne n'a plus rien à dire?

— Non! grogna Manuel.

— Je répète qu'il ment... articula Line.

— Janvier!... Passe-leur les menottes à tous les trois...

— Mais je ne suis pas dans le coup, protesta Jo, le plus jeune des Mori.

— N'avez-vous pas aidé votre frère à disposer du cadavre?

— Ce n'est pas un crime...

— Cela s'appelle complicité... Passe-leur les menottes...

— A moi aussi? glapit Line comme si elle allait piquer une crise de nerfs.

— A vous aussi...

Et Maigret, à Lapointe :

— Aide Janvier à les conduire au Dépôt...

Il était las. Il avait envie de penser à autre

chose. Il mit son chapeau sur la tête et descendit le grand escalier.

Il commençait à tomber de larges gouttes d'eau qui formaient des disques noirs sur le trottoir.

Il atteignit la place Dauphine où deux de ses collègues prenaient des pastis. Il fut tenté un instant, puis il se reprit.

— Le plus grand verre de bière que vous ayez... dit-il au patron.

CHAPITRE

9

LE BANC, A GAUCHE de la porte du juge Bouteille, fut presque toujours occupé pendant trois mois. Il avait fallu retrouver dans différentes villes de province les complices des frères Mori — et, par le fait, de M. Maurice — dans les cambriolages de châteaux et de riches résidences.

Des experts avaient travaillé aussi et en fin de compte on avait retrouvé l'origine des meubles et des tableaux de la rue Ballu et du square La Bruyère.

On avait retrouvé aussi, chez des antiquaires douteux, un peu partout dans le pays, des fournitures volées par la bande.

Maigret s'était rendu à Montmartre exprès pour féliciter le modeste inspecteur Louis.

— Je n'ai rien fait que mon métier, murmura celui-ci en rougissant.

— Le jour où le cœur vous en dira, vous ferez partie de ma brigade...

Le Veuf ne pouvait pas y croire. Peut-être aussi était-il partagé entre le désir de faire partie de la Grande Maison et son attachement au quartier Pigalle.

L'affaire passa aux assises en novembre. On avait disjoint l'affaire des châteaux qui viendrait plus tard.

A la barre, Line et Manuel ne cessèrent de se renvoyer la responsabilité du meurtre.

Le coup de téléphone à la victime impliquait la préméditation et le maximum de la peine.

Le juge Bouteille n'était pas parvenu, malgré sa patience, à départager les deux amants qui étaient devenus l'un pour l'autre des ennemis féroces.

Quand Line déposait à la barre, on entendait une voix dans le box des accusés :

— Elle ment!

— Taisez-vous...

— Je vous dis qu'elle ment.

— Et moi je vous ordonne de vous taire...

La même scène se répétait quand c'était Manuel qui était interrogé.

Le jury ne trancha pas. Il condamna Manuel et Line à vingt ans chacun, Jo à cinq ans.

Et tous les trois, en quittant la salle des assises, se lançaient des regards haineux.

La Puce avait repris l'habitude de téléphoner à l'inspecteur Louis.

Epalinges, le 11 juin 1971.

FIN

OUVRAGES DE GEORGES SIMENON

AUX PRESSES DE LA CITÉ (suite)

« TRIO »

I. — La neige était sale — Le destin des Malou — Au bout du rouleau
II. — Trois chambres à Manhattan — Lettre à mon juge — Tante Jeanne
III. — Une vie comme neuve — Le temps d'Anaïs — La fuite de Monsieur Monde
IV. — Un nouveau dans la ville — Le passager clandestin — La fenêtre des Rouet
V. — Pedigree
VI. — Marie qui louche — Les fantômes du chapelier — Les quatre jours du pauvre homme
VII. — Les frères Rico — La jument perdue — Le fond de la bouteille
VIII. — L'enterrement de M. Bouvet — Le grand Bob — Antoine et Julie

PRESSES POCKET

Monsieur Gallet, décédé
Le pendu de Saint-Pholien
Le charretier de la Providence
Le chien jaune
Pietr-le-Letton
La nuit du carrefour
Un crime en Hollande
Au rendez-vous des Terre-Neuvas
La tête d'un homme
La danseuse du gai moulin
Le relais d'Alsace
La guinguette à deux sous
L'ombre chinoise
Chez les Flamands
L'affaire Saint-Fiacre
Maigret
Le fou de Bergerac
Le port des brumes
Le passager du « Polarlys »
Liberty Bar
Les 13 coupables
Les 13 énigmes
Les 13 mystères
Les fiançailles de M. Hire
Le coup de lune
La maison du canal
L'écluse n° 1
Les gens d'en face
L'âne rouge
Le haut mal
L'homme de Londres

A LA N.R.F.

Les Pitard
L'homme qui regardait passer les trains
Le bourgmestre de Furnes
Le petit docteur
Maigret revient
La vérité sur Bébé Donge
Les dossiers de l'Agence O
Le bateau d'Émile
Signé Picpus
Les nouvelles enquêtes de Maigret
Les sept minutes
Le cercle des Mahé
Le bilan Malétras

ÉDITION COLLECTIVE SOUS COUVERTURE VERTE

I. — La veuve Couderc — Les demoiselles de Concarneau — Le coup de vague — Le fils Cardinaud
II. — L'Outlaw — Cour d'assises — Il pleut, bergère... — Bergelon
III. — Les clients d'Avrenos — Quartier nègre — 45° à l'ombre
IV. — Le voyageur de la Toussaint — L'assassin — Malempin
V. — Long cours — L'évadé
VI. — Chez Krull — Le suspect — Faubourg
VII. — L'aîné des Ferchaux — Les trois crimes de mes amis
VIII. — Le blanc à lunettes — La maison des sept jeunes filles — Oncle Charles s'est enfermé
IX. — Ceux de la soif — Le cheval blanc — Les inconnus dans la maison
X. — Les noces de Poitiers — Le rapport du gendarme G. 7
XI. — Chemin sans issue — Les rescapés du « Télémaque » — Touristes de bananes
XII. — Les sœurs Lacroix — La mauvaise étoile — Les suicidés
XIII. — Le locataire — Monsieur La Souris — La Marie du Port
XIV. — Le testament Donadieu — Le châle de Marie Dudon — Le clan des Ostendais

SÉRIE POURPRE

Le voyageur de la Toussaint
La maison du canal
La Marie du port

Achevé d'imprimer en janvier 1980
sur les presses de l'Imprimerie Bussière
à Saint-Amand (Cher)

— N° d'édit. 3254. — N° d'imp. 172. —
Dépôt légal : 1er trimestre 1973.
Imprimé en France